中国医药科技出版社

读经典 学养生

YANG
SHENG
SAN
YAO

养生三要

清
—
袁开昌 著

主编 林燕 李建

内容提要

本书分为卫生精义、病家须知、医师箴言三部分，为清以前各位医家养生理论之大成。卫生精义部分，提出了可祛病延年的养生方法；病家须知部分，阐述了求医、煎药、服药、禁忌等方面患者应该了解的知识；医师箴言部分，对医生的品德、态度提出了具体要求。本书内容丰富，加上名家注释，便于理解、体会，可供中医爱好者参考阅读。

图书在版编目（CIP）数据

养生三要 /（清）袁开昌著；林燕、李建主编. — 北京：中国医药科技出版社，2017.7

（读经典　学养生）

ISBN 978-7-5067-9240-0

Ⅰ. ①养… Ⅱ. ①袁… ②林… ③李… Ⅲ. ①养生（中医）– 中国 – 清代　Ⅳ. ①R212

中国版本图书馆CIP数据核字(2017)第081985号

养生三要

美术编辑　陈君杞

版式设计　大隐设计

出版　中国医药科技出版社

地址　北京市海淀区文慧园北路甲 22 号

邮编　100082

电话　发行：010-62227427　邮购：010-62236938

网址　www.cmstp.com

规格　787×1092mm $\frac{1}{32}$

印张　6 $\frac{7}{8}$

字数　97 千字

版次　2017 年 7 月第 1 版

印次　2017 年 7 月第 1 次印刷

印刷　北京九天众诚印刷有限公司

经销　全国各地新华书店

书号　ISBN 978-7-5067-9240-0

定价　16.00 元

丛书编委会

本书编委会

主　编

林　燕　李　建

副主编

陈子杰　马淑芳

编委

常孟然　王红彬　赵程博文　李文静

出版者的话

中医养生学有着悠久的历史和丰富的内涵，是中华优秀文化的重要组成部分。随着人们物质文化生活水平的不断提高，广大民众越来越重视健康，越来越希望从中医养生文化中汲取对现实有帮助的营养。但中医学知识浩如烟海、博大精深，普通民众不知从何入手。为推广普及中医养生文化，系统挖掘整理中医养生典籍，我社精心策划了这套"读经典 学养生"丛书，从浩瀚的中医古籍中撷取20种有代表性、有影响、有价值的精品，希望能满足广大读者对养生、保健、益寿方面知识的需求和渴望。

为保证丛书质量，本次整理突出了以下特点：①力求原文准确，每种古籍均遴选精善底本，加以严谨校勘，为读者提供准确的原文；②每本书都撰写编写说明，介绍原著作者情况，该书主要内容、阅读价值及其版本情况；③正

1

文按段落注释疑难字词、中医术语和各种文化常识，便于现代读者阅读理解；④每本书都配有精美插图，让读者在愉悦的审美体验中品读中医养生文化。

需要提醒广大读者的是，对古代养生著作中的内容我们也要有去粗取精、去伪存真的辩证认识。"读经典 学养生"丛书涉及大量的调养方剂和食疗方，其主要体现的是作者在当时历史条件下的养生方法，而中医讲究辨证论治、因人而异，因此，读者切不可盲目照搬，一定要咨询医生针对个体情况进行调养。

中医养生文化博大精深，中国医药科技出版社作为中央级专业出版社，愿以丰富的出版资源为普及中医药文化、提高民众健康素养尽一份社会责任，在此过程中，我们也期待读者诸君的帮助和指点。

中国医药科技出版社

2017 年 3 月

总序

　　养生（又称摄生、道生）一词最早见于《庄子》内篇。所谓生，就是生命、生存、生长之意；所谓养，即保养、调养、培养、补养、护养之意。养生就是根据生命发展的规律，通过养精神、调饮食、练形体、慎房事、适寒温等方法颐养身心、增强体质、预防疾病、保养身体，以达到延年益寿的目的。纵观历史，有很多养生经典著作及专论对于今天学习并普及中医养生知识，提升人民生活质量有着重要作用，值得进一步推广。

　　中医养生，源远流长，如成书于西汉中后期我国现存最早的医学典籍《黄帝内经》，把养生的理论和方法叫作"养生之道"。又如《素问·上古天真论》云："上古之人，其知道者，法于阴阳，和于术数，食饮有节，起居有常，不妄作劳，故能形与神俱，而尽终其天年，度百岁乃去。"此处的"道"，就是养生之道。

1

需要强调的是，能否健康长寿，不仅在于能否懂得养生之道，更为重要的是能否把养生之道贯彻应用到日常生活中去。

此后，历代养生家根据各自的实践，对于"养生之道"都有着深刻的体会，如唐代孙思邈精通道、佛之学，广集医、道、儒、佛诸家养生之说，并结合自己多年丰富的实践经验，在《千金要方》《千金翼方》两书中记载了大量的养生内容，其中既有"道林养性""房中补益""食养"等道家养生之说，也有"天竺国按摩法"等佛家养生功法。这些不仅丰富了养生内容，也使得诸家传统养生法得以流传于世，在我国养生发展史上，具有承前启后的作用。

宋金元时期，中医养生理论和养生方法日益丰富发展，出现了众多的养生专著，如宋代陈直撰《养老奉亲书》，元代邹铉在此书的基础上继增三卷，更名为《寿亲养老新书》，其特别强调了老年人的起居护理，指出老年之人，体力衰弱，动作多有不便，故对其起居作息、行动坐卧，都须合理安排，应当处处为老人提供便利条件，细心护养。在药物调治方面，老年人气色已衰，精神减耗，所以不能像对待年轻人那样施用峻猛方药。其他诸如周守忠的《养生类纂》、李鹏飞的《三元参赞延寿书》、王珪的《泰定养生主论》等，也均为养生学的发展做出了不同程度的贡献。

明清之际，先后出现了很多著名养生学家和专著，进一步丰富和完善了中医养生学的内容，如明代高濂的《遵生八笺》从气功角度提出了养心坐功法、养肝坐功法、养脾坐功法、养肺坐功法、养肾坐功法，又对心神调养、四时调摄、起居安乐、饮馔服食及药物保健等方面做了详细论述，极大丰富了调养五脏学说。清代尤乘在总结前人经验的基础上编著《寿世青编》一书，在调神、饮食、保精等方面提出了养心说、养肝说、养脾说、养肺说、养肾说，为五脏调养的完善做出了一定贡献。在这一时期，中医养生保健专著的撰辑和出版是养生学史的鼎盛时期，全面地发展了养生方法，使其更加具体实用。

综上所述，在中医理论指导下，先哲们的养生之道在静神、动形、固精、调气、食养及药饵等方面各有侧重，各有所长，从不同角度阐述了养生理论和方法，丰富了养生学的内容，强调形神共养、协调阴阳、顺应自然、饮食调养、谨慎起居、和调脏腑、通畅经络、节欲保精、益气调息、动静适宜等，使养生活动有章可循、有法可依。例如，饮食养生强调食养、食节、食忌、食禁等；药物保健则注意药养、药治、药忌、药禁等；传统的运动养生更是功种繁多，如动功有太极拳、八段锦、易筋经、五禽戏、保健功等，静功有放松功、内养功、强壮功、意气功、真气运行法等，动静结合功有空劲功、形神桩等。无论选学哪种功法，只要练功得法，持之以恒，都可收到健身防病、益寿延年之效。针灸、按摩、推拿、拔火罐等，也都方便易行，效果显著。诸如此类的方法不仅深受我国人民喜爱，而且远传世界各地，为全人类的保健事业做出了应有的贡献。

本套丛书选取了中医药学发展史上著名的养生专论或专著，加以句读和注解，其中节选的有《黄帝内经》《备急千金要方》《千金翼方》《闲情偶寄》《遵生八笺》《福寿丹书》，全选的有《摄生消息论》《修龄要指》《摄生三要》《老老恒言》《寿亲养老新书》《养生类要》《养生类纂》《养生秘旨》《养性延命录》《饮食须知》《寿世青编》《养生三要》《寿世传真》《食疗本草》。可以说，以上这些著作基本覆盖了中医养生学的内容，通过阅读，读者可以在品味古人养生精华的同时，培养适合自己的养生理念与方法。

当然，由于这些古代著作成书年代所限，其中难免有些糟粕或者不合时宜之处，还望读者甄别并正确对待。

翟双庆

2017 年 3 月

编写说明

　　《养生三要》是清末医家袁开昌所撰的一部养生学专著，作者在继承前人养生理论的基础上，阐述了自己的养生观点，可谓集清以前养生之大成。

　　袁开昌，字昌龄，生卒年不详，广陵（今江苏扬州）人，后徙居丹阳（今江苏丹阳）。作者平生好读书，深谙经术，旁通诸子，受范仲淹"不为良相，便为良医"的影响，潜心研究医学，以医济世，擅长眼科、外科，善用火针治外症。晚年，袁开昌辑《医门集要》八卷，萃取诸书精要，力斥医界时弊。《养生三要》是该书的首篇，于1910年成书，后由其子袁阜校订，于1918年付梓行世。

　　本书共一卷，辑录了《黄帝内经》《庄子》《抱朴子》《千金方》等20多种古代文献以及30多位前代医家有关摄生颐养的论述，结合自己的见解，酌情加以发挥。内容分"卫生精义""病家须知""医师箴言"三部分。其中，"卫生精义"部分，不仅提出了对祛病延年具有重要作用的养生方法，同时批判了违反科学的错误举措，更强调了养生首重养心养德。体现了"慈俭和静，致寿之道""清茶淡饭，独宿之妙""淡泊名利、清心省事""善养生者，先宝其精"等养生思想。"病家须知"部分，阐述了求医、煎药、服药、禁忌等一般患者在养生过程中必须注意的几方面主要问题，如"慎择良医，忌屡换医""煎宜瓦罐，火候尤重""服药活法，冷热适中""食宜节制，尤应节饮"等，为患者介绍了相关的知识。"医师箴言"部分，对医生的道德品质、服务态度、诊视病人，乃至读书等方面提出了具体要求，反复强调医乃仁术，须修身养性，不可贪图名利。其主要的养生思想是"慈悲为怀，博通古今""究病之源，用药如兵""看病之需，细审静思""食疗治病，药戒杀生"等。

"一可治已病，一可治未病，一可治医病者之病，诚养生三要也"，要提高养生质量，这三者缺一不可。本次点注力求简明扼要、通俗易懂，也对书中所提及的中医养生古籍和前代医家做了简单介绍，以便读者诵读学习。

编者
2017 年 2 月

吴序

昔太白应长庚而生①，有谪仙②之目，观其驱云作采③，喝月成吟，漱沆瀣④于三霄⑤，郁神明于五岳，非徒搴荣香草、腾异翠虬⑥而已。枳棘之栖，不迷于鸾凤；竹柏之性，远谢乎蜩⑦蝉。故能越六凡，离五浊⑧，飘飘乎若嵩山之高，沧海之深焉。谁为嗣音，实难作者！或意豪而伤于尽，或气激而失之剽⑨。身之不存，道将安附？是必言动无妄，克庵⑩有实践之功；清介居衷，一峰⑪乐著书之趣。洗迂伐腐，砥行饬躬，而后坐堪辟谷⑫，行亦餐霞，聚精气于三华⑬，服金液⑭于九转⑮。若树珊⑯者，殆能得家学之渊源，而导后儒之秘蕴者乎。古之养生者，沉浸禅机，咀含医理。高疆三折⑰，断肠

1

胃而膏神[18]；思邈《千金》，分刀圭而必验。所以范文正[19]等为医于为相，陆忠宣[20]既活国又活人，宜其学博而通，气闳以达。乔新[21]、泾野[22]，如接乎宗乘[23]；若水[24]、枫山[25]，早传其法钵。今树珊出尊人所著《养生三要》见示，苟得其尊人全集而读之，更可发沧浪之旨趣[26]，通先贤之心传，在彼法为最上乘，在吾人为成仙诀。闲抛南极，笑指东溟。乐鲤庭之得三[27]，诚马尾之当五[28]。缁衣好贤[29]，美彰于继世；青箱[30]绩学，光延于来兹。所惜商邱未获全书，子湘已钦善本。一字见义，万趣会文，曲引旁疏，横钩竖贯者，其惟袁氏家乎！嗟嗟！藤萝无恙，未免青山笑人；卷阿[31]以安，只有白鸥招我。境负人乎，人负境乎！夫亦叹遭遇之不常，而人生之如寄也。追忆前尘，宛如梦寐，东风一度，流水三生[32]，后之踪迹，可取而鉴焉。是为序。

　　民国八年己未夏五月庚午，乡愚弟仪征吴引孙[33]拜序于沪渎旅次。

注

①太白应长庚而生：指李白出生的故事。

②谪仙：代指李白。

③采：通"彩"，文章。

④沆瀣（hàng xiè）：夜间的水汽，露水。

⑤三霄：犹三天。道教称清微天、禹余天、大赤天为三天。

⑥搴荣香草、腾异翠虬：搴（qiān），拔取。翠虬，青龙的别称。指像屈原一样远离尘俗，仙游天界。

⑦蜩（tiáo）：蝉的一种。

⑧六凡、五浊：皆为佛教术语。

⑨剽（piào）：轻疾浅薄。

⑩克庵：程洵，字钦国，号克庵，今江西婺源人。宋朱熹内弟，从熹学，家有道问学斋，熹为之易名为尊德性斋。

⑪一峰：罗伦（1431-1478年），字应魁，号一峰。吉安永丰（今属江西）人。学术上笃守宋儒为学之途径，重修完持己，尤以经学为务；为文有刚毅之气，诗作磊落不凡，著有《一峰集》等。

⑫辟谷：道家术语。辟谷期间不吃用火烹制的食物，只喝水、吃天然食物。

⑬三华：道教术语。即人的精、气、神。

⑭金液：古代方士炼的一种丹液，服之可以成仙。

⑮九转：道教术语。指九次提炼。

⑯树珊：袁开昌之子袁阜，字树珊，晚号江上老人。幼承庭训，学究岐黄，尤精命理，是闻名海内的医学家、星相家，勤于著述，传世颇丰。

⑰高疆三折：比喻对某事阅历多，富有经验，自能造诣精深。

⑱断肠胃而膏神：形容医术高明。

⑲范文正：即范仲淹（989-1052年），字希文，谥号文正，北宋著名政治家、文学家。其"不为良相，便为良医"之说，出自《能改斋漫录》卷十三《文正公愿为良医》。

⑳陆忠宣：即陆贽（754-805年），字敬舆，谥宣。唐代著名政治家、文学家，后人称其为陆宣公。

㉑乔新：何乔新（1427-1502年），字廷秀，号椒丘，

又号天苗。今江西广昌旴江人。明文学家，诗人，官至刑部尚书。学识渊博，藏书多达三万多卷，皆手自校勘。

㉒泾野：吕柟（1479–1542年），原字大栋，后改字仲木，号泾野，学者称泾野先生，陕西高陵人。明代学者、教育家。

㉓宗乘：佛教用语。各宗所弘扬的宗义和教典。

㉔若水：湛若水（1466–1560年），字元明，号甘泉，广东增城人。明代哲学家。

㉕枫山：章懋（1436–1521年），字德懋，浙江兰溪人。明代天顺六年解元，入翰林，直言敢谏，与罗伦等合称"翰林四谏"。卒谥文懿。曾于枫木山读书讲学，人称枫山先生。

㉖沧浪之旨趣：喻指高雅的情趣。

㉗鲤庭之得三：喻传承家学。

㉘马尾之当五：喻为人处世谨慎。

㉙缁衣好贤：《缁衣》为《诗经·国风·郑风》的第一篇，记述了郑武公爱贤的事迹。

㉚青箱：原意为收藏书籍字画的箱笼，后代指渊源深厚的世传家学。

㉛卷阿：指位于今天陕西岐山西北方的凤凰山南麓。

㉜三生：佛家指前生、今生、来生。

㉝吴引孙：字福茨，一字茨甫。江苏仪征人，祖籍安徽歙县。光绪己卯年（1879年）中举，曾历任广东、甘肃、新疆、浙江布政使、巡抚等职，俗称"吴道台"。创立崇实书院、武备学堂等，其中的"测海楼"藏书二百四十余万册，其中不乏善本，与宁波"天一阁"齐名，在扬州乃至全国文化史上占有一席之地。

杨序

天地以阴阳二气化育万物，万物之中人为最贵，推苍苍者好生之心，非不欲举一世之人，一一跻之仁寿之域，顾有时不无遗憾者，寒暑之偏发为疹疠[①]，秉赋之异分为强弱。彼苍虽极慈爱，能举一世之人，置之于覆帱[②]之内，而必不能使一世之人，同归于仁寿之途。于是乎救弊补偏，有需国手；扶羸起瘠，端赖仁人。此不为良相，即为良医[③]。古圣贤念切恫瘝[④]，所以弭阴阳造化之缺陷也。然则良相良医有以异乎？曰：无以异也。良相本阴阳之调燮[⑤]，以一身握万理之原；良医助天地之生成，以一手活万人之命。其事虽殊，其功则一。则信乎医道之通于治道，而不可与寻常杂学等量而齐

1

观也。顾吾观于世之业医者而有慨焉。上古之世，医学肇于黄农[6]，之二人者，古圣人也。商周以后，名贤辈出，自扁鹊、和[7]、缓、仲景、元化之属，下而至于国朝喻氏[8]、柯氏[9]、叶氏[10]、吴氏[11]之伦，或极深研几[12]，或著书立说，其用互异，而其救危济急之本旨，则彼此无不相同。奈何延至于今，世风日降，嗜利误人之徒无论矣！他如一知半解，妄自悬壶，浅见寡闻，漫思问世。谫[13]学者失之肤浅，矜才者失之卤莽，数者之弊，造孽惟均，方诸古圣贤之用心，相悬真如天壤矣！呜呼！世有古今，道有升降，欲于衮衮之中，求良相固不可以，且夕几欲于庸庸之内觅良医，又岂可以屈指数哉？

注

① 疹疠：泛指流行性、传染性疾病，多与酷热、久旱等反常气候有关。

② 覆帱（dào）：亦作"覆焘"，犹覆被。谓施恩，加惠。

③ 不为良相，即为良医：北宋范仲淹在浙江宁波任刺史时所言。宰相可以医国，医生可以医人，且医为仁术，符合儒家的仁义思想。

④ 恫瘝（guān）：病痛，疾苦。

⑤ 调燮（xiè）：调和阴阳。

⑥ 黄农：指黄帝和神农氏。

⑦ 和：医和。春秋时期秦国医家

⑧ 喻氏：喻昌，字嘉言。明末清初医家。

⑨柯氏：柯琴，字韵伯。清医家。

⑩叶氏：叶天士，名桂，号香岩，别号南阳先生。
　清代名医。

⑪吴氏：吴瑭，字鞠通。清代名医。

⑫研几：穷究精微之理。

⑬谫（jiǎn）：浅薄。

　　江都昌龄袁先生，笃学力行之君子也。幼有至性，以孝友闻于乡里，弱冠①后勤学好问，手不释卷，湛深经术，旁通诸子百家。其于医学一途，尤能实有心得。生平诊治病症，一以古人为法，而神明变化，师古而不泥古，故偶一试用，辄能著手成春。盖他人之治医，名为济世，实则牟利。利之为物，能令智昏。昌龄先生则异是，其一生之学问，莫不原本于性情，才大如海，而心细于发。一夫②不治，若已推而纳之沟中。惟其以伊尹之心③为心，故能以岐黄之学④为学。于何知之？于其所辑《医门辑要》⑤一书而知之也。今夫医之为用，所以拯救民命者也，医学家之著书，所以垂示后学者也。或者不察，而藉此以为矜奇炫异之资，于是书籍愈多，理论愈杂。一或不慎，流弊潜滋。以天士之慧悟，而不免有指摘之端；以丹溪⑥、东垣⑦之深邃，而不免有温凉、偏倚之诮。名贤如此，何论其他！今观先生所辑之书，莫不钩元提要，荟萃斯编。所引医师箴言，诸条婆心苦口，尤为切中时病，足为庸肤躁妄之辈，痛下针砭。

注

①弱冠：古时对二十岁的代称。

②一夫：一个人。

③伊尹之心：代指忠义之心。

④岐黄之学：代指中医医术。

⑤《医门辑要》：即《医门集要》，袁昌龄晚年所辑，八卷。集取诸书精要，且作医师箴言，以明医德，斥时弊。

⑥丹溪：朱丹溪（1281-1358年），名震亨，字彦修，后尊称他"丹溪翁"，金元四大家之一，滋阴派的创始人。

⑦东垣：李杲，字明之，晚年自号东垣老人，金元名医，金元四大家之一，属易水派，是中医"脾胃学说"的创始人。

　　晴窗抽暇，朗诵数周，乃益知先生能以圣贤之心为心，宜其后福绵长直流，被于孝子贤孙，而方兴未艾也。哲嗣①树珊卜居镇城之西，精通数理，冠绝侪辈②。发于河洛象数之学问③，亦涉猎一二，偶有疑义，驰函相质，兹蒙条晰缕示，弗稍吝教。直谅多闻④之友，惟树珊足以当之。资蒙以尊甫⑤所辑是编，走访见示，属为弁言，用付梨枣。展卷之下，如睹异珍。既敬仰先生殷殷救世之诚，复以友谊所关，谆谆相属，孝思不匮⑥，溢于言表。义不可以不文辞，爰撰斯序，用副雅望，以表先生利济之心，且以为天下后世精研医学者勉也。

注

① 哲嗣：敬称他人之子。
② 侪辈：等辈，同类。
③ 河洛象数之学问：指通过对天地万物之象与数的分析推演来研究其产生、存在和运动变化之原理的一门学说，或者说是关于支配天地万物象数之理的学说。
④ 直谅多闻：指正直诚信，博学广识。
⑤ 尊甫：敬称他人父亲。
⑥ 孝思不匮：指对父母行孝道的心思时刻不忘。

宣统二年庚戌二月中浣①赐进士出身，晋封中宪大夫，敕授承德郎、吏部主事、加四级，愚侄丹徒杨鸿发②顿首拜撰。

注

① 中浣：古时官吏中旬的休沐日，亦指每月的中旬。
② 杨鸿发：字子磐，江苏丹徒（今江苏镇江）人。光绪戊戌（1898 年）进士，吏部主事。

读《养生三要》敬题

家学渊源有自来，父书能守嗣君才。
一编珍重传梨枣，会见人间寿域开。

昌黎撰述能提要，庄子南华论养生。
陈义过高知者鲜，此篇词旨极分明。

唤醒痴迷酿太和，婆心苦口费搜罗。
谁知人世生生理，都被先生指点过。

奚须茹术更餐芝，吐纳长生亦大痴。
度与金针休漠视，从前难遇此良医。

世愚侄苏涧宽[①]拜稿

注

①苏涧宽：字硕人，号考槃居士。清末书画金石家，
江苏镇江人。勤奋好学，工书，尤工博古。

目录

1

2

病家须知

医师箴言

读经典学养生

养生三要

YANG
SHENG
SAN
YAO

卫生精义

卫生精义

善养延年

于谷山①曰：人之年寿长短，元气②所禀，本有厚薄，然人能善养，亦可延年。如烛有长短，使其刻画相同，则久暂了然。若使置长烛于风中，护短烛于笼内，则以彼易此，未可知也。故养生③之说，不可不知。

注

①于谷山：于慎行（1545-1608年），字无垢，又字可远，号谷山、谷峰，山东东阿（今属平阴县）人。明代政治家、学者和诗人，有多部著作传世，本段论述出自《谷山笔麈》。

②元气：又称原气，是人最根本、最重要的气，是

读经典 学养生

养生三要

YANG
SHENG
SAN
YAO

卫生精义

人生命活动的原动力。它源自先天，依赖父母肾中精气所化生；出生以后，又要得到后天水谷精气的不断培育。人的寿命长短固然与先天禀赋有关，但后天的调养也不可忽视。所以，积极主动地进行养生，却病延年就有可能。

③养生：又名摄生、道生、保生，乃保养身心之谓。就是采取各种方法保养生命，使人体内外调和，增进健康，防治疾病，以延年益寿。

古今异寿之理

黄帝①问于岐伯②曰：余闻上古之人，春秋③皆度百岁，而动作不衰；今时之人，年半百而动作皆衰者，时世异耶？人将失之耶④？

注

①黄帝：相传为有熊国君少典之子，姓公孙，平定天下，征灭蚩尤之后，建都轩辕，故又称为轩辕黄帝。

②岐伯：传说中最富有声望的上古时代医家。今所传《黄帝内经·素问》是以黄帝问、岐伯答的形式阐述医学理论，显示了岐伯高深的医学修养。

③春秋：指年龄。

④人将失之耶：或是人自身违背养生之道的过失呢？

岐伯对曰：上古之人，其知道①者，法于阴阳②，和于术数③（调养之法），食饮有节，起居有常，不妄作劳，故能形与神俱④，而尽终其天年⑤，度百岁乃去。

注

①道：泛指规律、事理、方法等。这里指养生之道。
②法于阴阳：就是按照自然界的变化规律而起居生活。
③和于术数：就是要符合养生的方法。
④形与神俱：形，是指构成人体的基本结构，包括五脏、六腑、皮肉、经络、骨骼等，是维持人体生命活动的物质基础；神，是指人的精神思维活动，包括神志、意识、情感等，是人体生命活动的外在表现，也是维持生命活动的主宰。《内经》提出"形神共养，养神为先"的观点。
⑤天年：自然赋予人的寿命。

今时之人不然也，以酒为浆，以妄为常，醉以入房，以欲竭其精①，以耗散其真②，不知持满（不谨慎也），不时御神（不能四时调御其神也），务快其心，逆于生乐，起居无节，故半百而衰也。（《内经》③）

注

①精：是人体生命活动的物质基础，禀受于先天而充实于后天，从来源讲，包括"先天之精"和"后天之精"。先天之精，禀受于父母，与生俱来。后天之精是人出生后，由水谷和脏腑代谢化生的精微物质。先天生后天，后天养先天，两者相辅

读经典 学养生
养生三要
YANG
SHENG
SAN
YAO

卫生精义

相成，无法分开。

②真：就是"真气"，又称"真元"，是先天的精气和后天的谷气相合而成，和"精"一样，都是维持生命的主要物质。意在强调饮酒要有时有节，否则会耗散人体的真气，有损身心。

③《内经》：即《黄帝内经》，是我国现存最早的中医学经典著作，养生理论是《黄帝内经》的重要组成部分。

"慈、俭、和、静"
四字可以延年

圃翁①曰：昔人论致寿之道有四，曰慈②、曰俭③、曰和④、曰静⑤。人能慈心于物，不为一切害人之事，即一言有损于人，亦不轻发，推之戒杀生以惜物命，慎剪伐以养天和，无论冥报⑥不爽，即胸中一段慈祥恺悌⑦之气，自然灾沴⑧不干，而可以长龄矣。

注

①圃翁：即张英（1637－1708年），字敦复，号乐圃，安徽桐城人。清朝康熙名臣，曾以编修充任日讲起居注官（在宫中讲解经史、掌记皇帝言行），官至文华殿大学士兼礼部尚书。圃翁精于养生，其所撰《聪训斋语》对养生颇多精论。本篇出自《聪训斋语》，强调养生重在养心养德，需要做到"慈、俭、和、静"四个方面。

②慈：指人对弱小者天然产生的一种关爱之情。推之于人以外的事物，同样需怀着怜惜、珍爱的心来看待。

③俭：不仅指使用钱财要节俭，还指饮食起居和一切嗜欲都应有所节制。

④和：指内心的平和。养生重在养心，对于生活中遇到的不如意的事情，不必怨天尤人或者责备自己，要保持内心的平静。

⑤静：是相对于"动"而言的，包括精神上的清静和形体上的相对安静。

⑥冥报：暗中之善恶报应。

⑦恺悌：和乐平易。恺，安乐。悌，和易。

⑧灾沴（lì）：灾害。沴，灾害恶气。

人生享福，皆有分数。惜福之人，福尝有余；暴殄①之人，易至罄②竭，故老氏以俭为宝。不止财用当俭而已，一切事常思节啬③之义，方有余地。

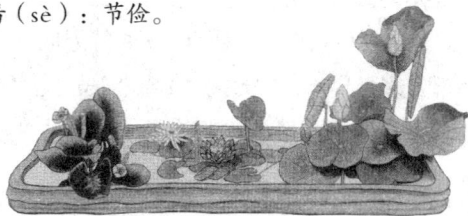

①暴殄（tiǎn）：任意浪费。

②罄（qìng）：尽。

③啬（sè）：节俭。

读经典 学养生

养生三要

YANG
SHENG
SAN
YAO

卫生精义

俭于饮食，可以养脾胃；俭于嗜欲，可以聚精神；俭于言语，可以养气①息非；俭于交游，可以择友寡过；俭于酬酢②，可以养身息劳；俭于夜坐③，可以安神舒体；俭于饮酒，可以清心养德；俭于思虑，可以蠲④烦去扰。

注

①气：是人体生命活动的原动力。既是物质，又是功能。既是体内流动着的富有营养的精微物质，如水谷之气、呼吸之气等；又指脏腑组织的功能，如五脏之气、六腑之气等。根据来源、分布和功能的不同，可分为原气（元气）、营气、卫气和宗气等。道家修炼，以精、气、神为人身三宝，作为内丹的基本药物，又称"上药三品"。
②酬酢（zuò）：宾主互相敬酒。酬，向客人敬酒。酢，向主人敬酒，泛指交际应酬。
③夜坐：在黄昏、初夜或者半夜坐禅。
④蠲（juān）：免除。

凡事省得一分，即受一分之益。大约天下事万不得已者，不过十之一二。初见以为不可已，细算之亦非万不可已。如此逐渐省去，但日见事之少。白香山①诗云："我有一言君记取，世间自取苦人多。"今试问劳扰烦苦之人，此事亦尽可已，果属万不可已者乎？当必恍然自失②矣。

人常和悦, 则心气冲①而五脏安, 昔人所谓养欢喜神。真定梁公②每语人: 日间办理公事, 每晚家居, 必寻可喜笑之事, 与客纵谈, 掀髯③大笑, 以发抒一日劳顿郁结④之气。此真得养生要诀。

注

①心气冲: 心意平和。冲, 调和。

②真定梁公: 梁清标(1620-1691年), 字棠村, 号玉立, 别号苍岩子、蕉林居士。工书法, 精鉴赏, 康熙时官至保和殿大学士。真定, 今河北正定。

③掀髯(rǎn): 笑时启口张须的样子。

④劳顿郁结: 身体劳累疲倦, 内心积聚抑郁不舒服。

何文端①时, 曾有乡人过百岁。公叩其术, 答曰: "予乡村人, 无所知, 但一生只是喜欢, 从不知忧恼。"噫!此岂名利中人所能哉?

注

①何文端: 何如宠(1569-1642年), 字康侯, 号芝岳居士, 谥文端。明桐城人。万历进士, 崇祯时官武英殿大学士。

7

《传》曰"仁者静"，又曰"知者动"①。每见气躁之人，举动轻佻②，多不得寿。古人谓砚以世计，墨以时计，笔以日计，动静之分也。

注

① "《传》曰"二句：《传》，一般指论语。"传曰"，表示下面的话是引用论语中的。知，同"智"。仁者好静，智者好动。

②轻佻：言语举止不庄重。

静之义有二：一则身不过劳；一则心不轻动。凡遇一切劳顿、忧惶、喜乐、恐惧之事，外则顺以应之，此心凝然不动，如澄潭，如古井，则志一动气①，外间之纷扰皆退听②矣。

注

①志一动气：心志凝住浮动之气。

②退听：不听不受，不受影响之意。

此四者于养生之理，极为切实，较之服药引导①，奚啻②万倍哉？服药则物性易偏，或多燥滞；引导吐纳③，则易至作辍。

注

①引导：即导引，修炼者以自力引动肢体所作的俯

仰屈伸运动（常和行气、按摩等相配合），以锻炼形体的一种养生术。

②奚啻（chì）：何止，岂但。

③吐纳：吐故纳新，古代道家的养生之术。指把胸中的浊气从口中呼出，再由鼻中慢慢吸入清鲜之气。

必以四者为根本，不可舍本而务末也。《道德经》[1]五千言，其要旨不外于此。铭之座右，时时体察，当有裨益耳。

注

①《道德经》：即《老子》，道家最重要的经典，传为春秋时期老子（李耳）所撰，以"清静无为"为主要思想。也是中国传统气功的理论渊源之一。

读经典 学养生

养生三要

YANG
SHENG
SAN
YAO

卫生精义

眠、食二者为养生之要务

圃翁曰：古人以眠食二者，为养生之要务。脏腑肠胃，常令宽舒有余地，则真气得以流行，而疾病少。吾乡吴友季善医，每赤日寒风，行长安道上不倦。人问之，曰："予从不饱食，病安得入[1]？"此食忌过饱之明证也。

注

[1] 予从不饱食，病安得入：我从来不吃饱，怎会得病呢？正所谓《黄帝内经》中"饮食自倍，肠胃乃伤"。意在强调饮食要定量，过饱则会损害脾胃功能，加速衰老，影响健康和寿命。

燔炙[1]熬煎、香甘肥腻之物，最悦口，而不宜于肠胃。彼肥腻易于黏滞，积久则腹痛气塞。寒暑偶侵，则疾作矣。放翁[2]诗云："倩盼作妖狐未惨，肥甘藏毒鸩犹轻[3]。"此老知摄生哉！

注

[1] 燔（fán）炙：烧、烤。
[2] 放翁：陆游（1125-1210年），南宋诗人，号放翁，山阴（今浙江绍兴）人，颇通养生之道。
[3] 倩盼作妖狐未惨，肥甘藏毒鸩（zhèn）犹轻：此为陆游《养生》诗的颔联。意思是说，美色淫邪媚人比狐媚魔道更惨烈；美食犹如毒药比鸩毒还

养生三要　读经典学养生

YANG
SHENG
SAN
YAO

卫生精义

厉害。意在强调饮食要均衡，避免偏食、挑食的饮食习惯，如果一味偏食，会引发疾病，如过食肥甘厚味食物，可引起体内痰湿凝聚，出现神倦乏力、痰多、胸闷等症状。

炊饭极软熟，鸡肉之类只淡煮。菜羹清芬鲜洁，渥之①。食只八分，饱后饮六安苦茗②一杯。

注

①炊饭极软熟，鸡肉之类只淡煮。菜羹清芬鲜洁，渥之：渥（wò），湿润。本句意在强调饮食养生过程中，强健脾胃的生理功能至关重要。胃喜软、喜温、喜鲜。

②六安苦茗：六安茶。六安指安徽六安，所产茶称为六安茶，其香淡味苦，有极强的助消化作用，脾胃虚寒者不宜饮用。

若劳顿饥饿归，先饮醇醪①一二杯，以开胸胃。陶②诗云："浊醪解劬饥③。"盖藉之以开胃气也。如此，岂有不益人者乎？

注

①醇醪（láo）：极浓的酒。

②陶：陶潜（365-427年），字渊明，亦说名渊明，字元亮，寻阳柴桑（今江西九江）人。东晋文学家，诗人。

③浊醪解劬（qú）饥：浓酒解除疲劳和饥饿。陶渊

明《和刘柴桑》诗中有"谷风转凄薄，春醪解饥劬"之句。浊醪，用糯米、黄米等酿制的酒，较混浊。劬，疲劳。意在强调适量的酒，仿佛是人的生命，只要饮得适当，必清醒舒畅。

且食忌多品。一席之间，遍食水陆，浓淡杂进，自然损脾。予谓或鸡鱼凫豚①之类，只一二种饱食，良为有益。此未尝闻之古昔，而以予意揣当如此。

注

①凫豚（fú tún）：水鸭和小猪。豚同"豚"。

安寝乃人生最乐。古人有言，不觅仙方觅睡方。冬夜以二鼓①为度，暑月以一更为度。

注

①二鼓：二更。古时"一更"等于现在的两个小时，从晚上7点开始起更，一更指晚上7-9点，二更指晚上9-11点。冬夜很长，可在二更时就寝，夏夜很短，当在一更时入睡。一般情况下，建议每晚亥时（即晚9-11点）休息，在子时（晚11点至凌晨1点）之前保证进入深睡眠状态。

每笑人长夜酣饮不休，谓之消夜。夫人终日劳劳，夜则宴息，是极有味，何以消遣为？冬夏皆当以日出而起，于夏尤宜。天地清旭之气，最为爽神，失之甚为可惜^①。

注

①天地清旭之气，最为爽神，失之甚为可惜：清旭，
指早晨清新的空气。睡眠养生认为，每日凌晨是
大地阳气回升的时间，5~7点正是阳气最盛的时候，
此时起床，外出散步或做些轻微的运动，就自然
而然地补充了阳气。

予山居颇闲，暑月日出则起，收水草清香
之味。莲方敛而未开，竹含露而犹滴，可谓至快。
日长漏永，不妨午睡数刻，焚香垂幕，净展桃
笙（即竹簟^①），睡足而起，神清气爽，真不
啻天际真人^②。

注

①竹簟（diàn）：竹席。
②真人：修真得道之人。《淮南子》："真人者，
性合于道，能登假于道，精神及于至真，是谓真人。"
意思是说能够掌握天地阴阳的规律，保全精神和
真气的人。

况居家最宜早起，倘日高客至，僮则垢
面，婢且蓬头，庭除^①未扫，灶突^②犹寒，大非
雅事。

养生三要

读经典 学养生

YANG
SHENG
SAN
YAO

卫生精义

注

①庭除：庭院。除，台阶。

②灶突：灶上烟囱。此指炉灶。

昔何文端公居京师，同年①诣②之，日晏未起，久之方出。客问曰："尊夫人亦未起耶？"答曰："然。"客曰："日高如此，内外家长皆如此，一家奴仆，其为奸盗诈伪，何所不至耶？"公瞿然③。自此至老不晏起。此太守公亲为予言者。（《聪训斋语》④）

注

①同年：古代科举考试同榜或同一年考中者。

②诣（yì）：到，旧时特指到尊长那里去。

③瞿（jù）然：惊骇的样子。

④《聪训斋语》：作者即前文之圃翁张英，是作者以官宦仕途、为人处世方面的亲身经历和切身体会，结合古圣时贤的言行事例，教训子孙持家、治国、读书、立身、做人之箴言。

陆清献公①不药之益寿丸

足柴足米，无忧无虑，蚤②完官粮，不惊不辱，不欠人债起利，不入典当门庭。只消清茶淡饭，便可益寿延年③。（《治嘉格言》④）

注

①陆清献公：陆陇其（1630－1692年），原名龙其，因避讳改名陇其，字稼书，浙江平湖人，清代理学家。学者称其为当湖先生。学术专宗朱熹，排斥陆王，被清廷誉为"本朝理学儒臣第一"，卒谥清献，从祀孔庙。为官清廉，时称循吏。

②蚤（zǎo）：同"早"。

③只消清茶淡饭，便可益寿延年：意在强调保持良好的心态，坚持清淡饮食比处心积虑地服食补药更有效。

④《治嘉格言》：陆陇其著，用以教育自己的后裔和学生如何做人、尽孝。

衰老病死妻子不能代

　　饥寒痛痒，此我独觉，虽父母不之觉也；衰老病死，此我独当，虽妻子不能代也。自爱自全之道，不自留心，将谁赖哉①？（《呻吟语》②）

注

①自爱自全之道，不自留心，将谁赖哉：强调人要爱惜自己，自己管理好自己的身心，养生之事不能依赖别人。

②《呻吟语》：明吕坤著，是一部探讨人生哲理的著作。针对明朝后期由盛转衰出现的各种社会弊端，提出了兴利除弊、励精图治的种种主张，并阐述了对修身养性、人情世故等方面的心得体会

和见解。

治身养性务谨其细

《抱朴子》[1]曰：凡夫不知益之为益，又不知损之为损。损易知而速，益难知而迟。损之者，如灯火之销脂，莫之见也，而忽尽矣；益之者，如禾苗之播植，莫之觉也，而忽茂矣。

注

[1]《抱朴子》：东晋葛洪撰。今存"内篇"20篇，主要讲述神仙方药、鬼怪变化、养生延年、禳灾却病，属于道家；"外篇"50篇，主要谈论社会上的各种事情，属于儒家的范畴。

故治身养性，务谨其细[1]。不可以小益为不足而不修，不可以小损无伤而不妨（惟益为难而迟，故虽小而不可失；惟损为易而速，故虽小而不可犯）。凡聚小所以就大，损一所以至亿也。若能爱之于微，成之于著者，则知道矣。

注

[1]治身养性，务谨其细：葛洪认为，养生是一个长期积累的过程，必须从每一件小事做起。

养生以不伤为本

养生以不伤为本①。才所不逮②而困思之，伤也；力所不胜而强举之，伤也；悲哀憔悴，伤也；喜怒过差，伤也；汲汲③所欲，伤也；戚戚④所患，伤也；久谈多笑，伤也；寝息失时，伤也；沉醉呕吐，伤也；饱食即卧，伤也；跳走喘息，伤也；欢呼哭泣，伤也。

注

①养生以不伤为本：此文强调，不论体脑劳动，思想情志，饮食起居，所作所为，言行谈笑，寒热温凉等，均应适可而止，不可过度，过度则必然造成伤害。

②逮：到，及。

③汲汲（jí）：形容心情急切，努力追求。

④戚（qī）：忧愁悲哀。

积伤至尽则早亡。是以养性之方，唾不及远，行不疾步，耳不极听，目不极视，坐不至久，卧不及疲。先寒而衣，先热而解。不欲饥极而食，食不可过饱；不欲渴极而饮，饮不可过多。食多则结积聚①，饮多则成痰癖②。

注

①积聚：病证名，指以腹内结块，或痛或胀为主要

读经典 · 学养生

养生三要

YANG
SHENG
SAN
YAO

卫生精义

表现的疾病。腹内结块，固定不移，并伴胀痛或刺痛为特征者称为积。腹中气聚，攻窜胀痛，时作时止为特征者为聚。

②痰癖：古病名，指水饮久停化痰，流移胸肋之间，以致有时胁痛的病症。

不欲甚劳甚逸，不欲起晚，不欲汗流，不欲多啖①生冷，不欲饮酒当风，不欲数数沐浴，不欲远愿广志，不欲规造异巧。冬不欲极温，夏不欲穷凉。

注

①啖（dàn）：吃。

不露卧星下，不欲眠中见扇。大寒大热，大风大雾，皆不欲冒之。五味①入口，不欲偏多。凡言伤者，亦不便觉，久则损寿。（此谓不见其损，有时而尽。）（《抱朴子》）

注

①五味：指酸、苦、甘、辛、咸五种味道，也泛指各种味道或调和众味而成的美味食品。虽然饮食五味对五脏具有滋养作用，但若过于偏嗜某一味，导致五味失衡，营养失调，就会对身体产生损害。

风寒暑湿及酒食生冷均能致疾

读经典 学养生

养生三要

YANG
SHENG
SAN
YAO

卫生精义

沐浴临风，则病脑风[1]痛风[2]；饮酒向风，则病酒风漏风[3]；劳汗暑汗当风，则病中风[4]暑风[5]；夜露乘风，则病寒热；卧起受风，则病痹[6]厥[7]。

注

[1] 脑风：病名，风冷侵袭脑户的病症。属头风一类疾患，症见项背恶寒，脑户穴（在风府穴之上，为督脉、足太阳经会合之处）局部冷感，恶风，头部剧痛，痛连齿颊。本文列举了很多常见病、并发病，指出不论风寒暑湿，酒食生冷，均可以成为致病因素，在衣、食、住、行等日常生活的各个细节中应当注意避免，以免造成不必要的伤害。

[2] 痛风：病名，风寒湿邪侵袭肢节、经络，其中又以风邪为甚的痹症。症见肢节疼痛，痛处游走不定。

[3] 酒风漏风：病名，酒风又名漏风，因酒后感受风邪所致。症见恶风多汗，口干口渴，近衣则身如火烧，临食则汗流如雨，骨节懈惰，不能劳动。

[4] 中风：病名，指真中风，即外中风邪而猝然倒仆，昏不知人，或见口眼歪斜，半身不遂，舌强不能言的病证。与内风所致的类中风（脑中风）症状相似。

[5] 暑风：病名。指伤暑后又感风邪，症见手足挛搐，甚至昏倒不知人。有时也指身痒刺痛，甚则赤肿的病证。

[6] 痹：风、寒、湿邪侵袭肢体经络，导致肢节疼痛、

麻木、屈伸不利的病证。

⑦厥：此处指四肢寒冷。

养生三要

读经典 学养生

YANG
SHENG
SAN
YAO

卫生精义

　　衣凉冒冷，则寒外侵；饮冷食寒，则寒内伤；早起露首跣①足，则病身热头痛；纳凉阴室，则病身热恶寒；多食凉水瓜果，则病泄泻腹痛；夏走炎途，贪凉食冷，则病疟②痢③。

注

①跣（xiǎn）：光着脚。

②疟：疟疾，病名，又名打摆子，是由疟原虫经蚊叮咬传播的传染病，症见周期性、定时性发作的寒战、高热、出汗退热，以贫血和脾大为特点。

③痢：痢疾，又称肠澼、滞下，是急性肠道传染病之一，症见发热、腹痛、里急后重、大便脓血。

　　坐卧湿地，则病疠风①痹厥②；冲风冒雨，则病身重身痛；长着汗衣，则病麻木发黄；勉强涉水，则病脚气③挛痹④；饥饿澡浴，则病骨节烦痛；汗出见湿，则病痤痱⑤（痤，疖也。音坐，平声）。（《集解》⑥）

注

①疠风：病名。又名大风、癞病、大风恶疾、大麻风、麻风。中医学认为是因体虚感受暴疠风毒，或接触传染，内侵血脉而成。初起患处麻木不仁，次成红斑，继则肿溃无脓，久之可蔓延全身肌肤，

出现眉落、目损、鼻崩、唇裂、足底穿等重症。

②痹厥：此处指闭阻不通。

③脚气：病名。古名缓风，又称脚弱，与今天俗称的脚气不同。因外感湿邪风毒，或饮食厚味所伤，积湿生热，流注于脚而成。其症先起于腿脚，麻木，酸痛，软弱无力，或挛急，或肿胀，或萎枯，或胫红肿，发热，进而入腹攻心，小腹不仁，呕吐不食，心悸，胸闷，气喘，神志恍惚，言语错乱。

④挛痹：挛急，麻木无力。

⑤痤痱：病名。又名痤痱疮，由肺热脾湿，或夏月风热毒邪搏于肌肤而生。大者名痤，小者名痱。痤即热疖，大如酸枣，小如黄豆，皮色赤肿，内有脓血。痱即痱疮，形如水疱发痒，渐变脓疱而疼痛。

⑥《集解》：指《医方集解》，清代医家汪昂所著，共三卷。书中搜集切合实用方剂八百余首，分列21门。每方论述包括适应证、药物组成、方义、服法及加减等。该书内容丰富，释义明白、流传甚广，是一部非常有影响力的方剂专著。

殉利殉名

养生三要 读经典 学养生

YANG
SHENG
SAN
YAO

卫生精义

邹东廓①曰: 世之所谓强有力者, 权②有无, 节盈缩③, 以鹜④于朝市, 相靡以利, 相炫以捷⑤。盖寒不得袭, 暑不得阴, 若是者什而三焉。世所之谓智者, 商古今, 课殿最, 抵掌功名之会, 相矜以辩, 相构以术, 弃枯而集菀, 避寒而竞炎, 若是者亦什而三焉。

注

①邹东廓: 邹守益 (1491-1562 年), 字谦之, 明代理学家, 安福 (今江西安福) 人, 正德进士, 有《东廓集》传世。

②权: 权衡, 估量。

③节盈缩: 节制盈亏, 也就是节制生活费用的开支。

④鹜 (wù): 鸭子。

⑤相靡以利, 相炫以捷: 互相以争利压倒对方, 互相以迅速取胜来炫耀自己。

殉名之与殉利, 高下有间矣①。其于逐物②以丧其生, 钧③也。无为利府, 无为名尸, 超然立于物表, 而物莫挠之, 是谓卫生之术, 寿考将自至。

注

①殉名之与殉利, 高下有间矣: 殉, 为达到某种目

标而牺牲性命曰殉。为名而丧命曰殉名，为利而丧命曰殉利。本文论述名利与养生，一味贪图名利对身心健康十分有害，甚至使人短命早死。

②物：与"我"相对的他物。

③钧：通"均"，相同。

养生读经典
三学要养生

YANG
SHENG
SAN
YAO

卫生精义

　　人负阴而抱阳[1]，冲气[2]以为和，逆之则灾害生，从之则疴疾不起。故滋味者，身之充也，而酸伤脾，咸伤心，辛伤肝，甘伤肾[3]（五行各有所克，此盛则彼伤），则失其节也。

注

①负阴而抱阳：原意指背阴向阳，此处指人体内蕴涵着阴阳两种相反而又相成之气。

②冲气：即阴阳冲和之气，是宇宙万物的生长发育之源。

③酸伤脾，咸伤心，辛伤肝，甘伤肾：正所谓"谨和五味"的中医饮食养生原则，由于饮食五味失和，人体五脏往往会因功能受损而致病。

　　起居者，身之适也，而坐伤肉，卧伤气，行伤筋，立伤骨[1]，则渝[2]其常以召之也。

注

①坐伤肉，卧伤气，行伤筋，立伤骨：《黄帝内经》对"五劳所伤"有这样的论述："久视伤血，久卧伤气，久坐伤肉，久立伤骨，久行伤筋。"起居养生要求劳逸有常有节，主张中和适度，劳逸

23

养生三要

读经典学养生

YANG
SHENG
SAN
YAO

卫生精义

结合。劳累过度，可内伤脏腑，成为致病原因；贪逸无度，气机郁滞，人体功能活动就会衰退。

②渝：改变。

时其喜而喜焉，时其怒而怒焉，时其好而好焉，时其恶而恶焉（喜怒好恶，各当其节，则必无殉名殉利之病，而起居饮食，更无论已）。若明鉴之照物，不将不迎①。泰然而静寂，怡然而动顺，饮食有节，起居有常，喜怒有则，则气日完，精日积，神日定。若然者，忧患不能入，嗜欲不能侵，邪气不能袭，虽度百岁，而动作不衰。

注

①若明鉴之照物，不将不迎：就像明亮的镜子照见物体，不送不迎，泰然处之。

勿以有涯随无涯

吾生也有涯，而知也无涯。以有涯随无涯，殆已[1]。已而为知者，殆而已矣。为善无近名，为恶无近刑。缘督[2]以为经[3]，可以保生，可以全生，可以养亲，可以尽年。（《庄子·养生主》[4]）

养生三要　读经典　学养生

YANG
SHENG
SAN
YAO

卫生精义

注

[1] 以有涯随无涯，殆已：涯，边际，极限。用有限的生命追随无限的愿望，是一件很危险的事情。生命是有限的，不必追求过多的愿望，否则，生命就要受到伤害。

[2] 督：中，正道。

[3] 经：常道，根本。

[4] 《庄子·养生主》：《养生主》是《庄子》中一篇谈养生之道的文章，庄子认为，养生之道重在顺应自然，忘却情感，不为外物所滞。

三毋三寡

凌登名[1]曰：老子曰[2]，毋劳女[3]形，毋摇女精[4]，毋使女思虑营营。寡思虑以养神，寡嗜欲以养精，寡言语以养气[5]。知乎此，可以养生矣。

25

养生三要

读经典 学养生

YANG
SHENG
SAN
YAO

卫生精义

注

①凌登名：明代人，生平不详，撰有《榕城随笔》。

②老子曰：以下三句引文都引自《庄子》，并非老子所说。

③女（rǔ）：通"汝"，你。

④精：是人体生命的物质基础，禀受于先天而充实于后天，故就其来源可分为先天之精与后天之精。后天之精是构成人体和维持生命活动的基本物质，通过饮食营养而不断地得到补充；先天之精是生命的起源物质，禀受于父母，又称生殖之精，即肾精，也是人体元气的物质基础。先天之精与后天之精相互滋生，密切相关。

⑤寡思虑以养神，寡嗜欲以养精，寡言语以养气：精、气、神乃人生三宝，是养生的根本，在饮食、情志、起居等日常生活中，要注意调护这三个方面。

无价之药

　　吕叔简①曰：愚爱谈医，久则厌之。客言及者，告之曰：以寡欲为四物，以食淡为二陈，以清心省事为四君子②。无价之药，不名之医，取诸身而已。

注

①吕叔简：即吕坤（1536-1618年），字叔简、新吾，自号抱独居士，河南宁凌人。明朝文学家，思想家，与沈鲤、郭正域被誉为明万历年间天下"三大贤"。前文所引《呻吟语》即其作品之一。

②以寡欲为四物，以食淡为二陈，以清心省事为四
　君子：四物，即中医方剂四物汤。二陈，即中医
　方剂二陈汤。四君，即中医方剂四君子汤。这里
　借用中医方剂的功效来作比喻。意在强调清心寡
　欲、饮食清淡是良好的养生习惯，比药物更无价。

治心

　　贾文宿云：或问长生不死有术乎？曰：上
寿不过百岁，长生不死，吾未见其人，不能知
其术。无已①，则有却病延年焉。世之所云却
病者，咸②曰薄滋味，节淫欲，寡言语，戒嗔怒，
保形炼气，如是数者而已尔。然此犹治表之术
也。余之所谓却病者，却吾心之病焉耳③。

注

①无已：不得已。
②咸：都。
③余之所谓却病者，却吾心之病焉耳：贾文宿其人
　生平事迹不详，应是一位清代以前的养生学家。
　他认为要想防治疾病，其根本在于防治心理情志
　方面的疾病。

　　盖人心本自定静，本自泰然，何病之有？
惟遇货财则思争夺，遇功名则思挤排，遇势焰
则思趋附，遇睚眦则思报复，遇患难则思推避。
未遂则心病于患得，既遂则心病于患失。以是

读经典 学养生

养生 三 要

YANG
SHENG
SAN
YAO

卫生精义

日攻于心，则病日入于膏肓[1]。虽有外之所养，终不胜其内之所扰（况乎外之所养，又足滋病），此扁鹊之所以望而走[2]焉者。寿焉得不促！

注

[1] 膏肓：古人把心尖脂肪叫"膏"，心脏与隔膜之间叫"肓"。病入膏肓形容病情十分严重，无法医治。
[2] 扁鹊之所以望而走：《韩非子·喻老》篇记载了扁鹊见蔡桓公，望而知病，分别指出其有疾在腠理、在肌肤、在肠胃，蔡桓公却不信任扁鹊。最后一次相见，其病已深入骨髓，扁鹊望见桓侯就跑掉了，蔡桓公旋即病死。

苟[1]欲治病，先治其心，一切荣辱得丧，俱不足为吾心累。即小之而疾病，不以疾病累其心；大之而生死，不以生死累其心。使清明之气常在吾躬[2]，将见心日以广，体日以胖，不期寿而寿益增，他又何术焉！

注

[1] 苟：假如。
[2] 躬：自身。

道书亦云，黄老悲其贪著，乃以神仙之术渐次导之耳，其微旨[1]可识矣（然则世以为真有神仙，而必欲学而至者，无乃又堕贪著之障[2]）。

①微旨：精微奥妙的意旨。

②障：业障，佛教指阻碍修行的罪恶。

除妄

贾文宿云：真空寺有老僧曰，妄想之来，其几①有三：或追忆数十年前荣辱恩仇，悲欢离合，及种种闲情，此是过去妄想也；或事到眼前，可以顺应，却乃畏首畏尾，三番四覆，犹豫不决，此是见在妄想也；或期望日后富贵荣华，皆如其愿，或期望功成名遂，告老归田，或期望子孙登庸②，承继书香，与夫一切不可必得之事，此是未来妄想也。（此近于儒者正心③之学，不得以其禅家语而废之。）

①几：预兆。

②登庸：指科举考试应考中选。

③正心：指使人心归向于正。儒家讲究正心、诚意、修身、齐家、治国、平天下。语出《礼记·大学》："古人欲明明德于天下者，先治其国；欲治其国者，先齐其家；欲齐其家者，先修其身；欲修其身者，先正其心；欲正其心者，先诚其意；欲诚其意者，先致其知。"

三者妄想，忽然而兴，忽然而灭，禅家谓之幻心[1]。能照见其妄，而斩断念头，禅家谓之觉心[2]。故曰不患念起，惟患觉迟。此心若同太虚[3]，烦恼何处安脚？（若未能拔去病根，随妄随觉，全不济事。）

注

①三者妄想，忽然而兴，忽然而灭，禅家谓之幻心：幻心，指凡心。佛家谓心识因境而生，无实如幻，故称。过去、现在、未来这三种妄想是养生的大敌，不仅坐禅要除妄，养生中更要除妄。
②觉心：指能去迷悟道的心。
③太虚：天空，此处指空寂玄奥之境。

受形

男女之合，二情交畅，阴血[1]先至，阳精[2]后冲。血开裹精，精入为骨，而男形成矣。阳精先入，阴血后参，精开裹血，血入居本，而女形成矣。

注

①阴血：即血液。血液有形而属阴，故名。
②阳精：即精液。

阳气聚面，故男子面重，溺死者必伏。阴气聚背，故女子背重，溺死者必仰。走兽溺死者，伏仰皆然。阴阳均至，非男非女之身，精血散分，骈胎品胎①之兆。

①骈（pián）胎：双胞胎。品胎：三胞胎。

父少母老，产女必羸；母壮父衰，生男必弱。古之良工①，首察乎此，补羸女先养血壮脾②，补弱男则壮脾节色。羸女宜及时而嫁，弱男宜待壮而婚。此疾外所务之本，不可不察也。

①良工：原指技艺精良的工匠。这里指好的医生。
②壮脾：健脾，指健运脾气的一种治法。中医学认为脾在五行属土，是后天之本，有运化食物中的营养物质、输布水液，以及统摄血液等作用。人出生后，其生命活动的维持和气血津液的化生，都有赖于脾，因此，对于父母年纪相差较大所生的瘦弱子女，养生应以健脾养气血为主。

读经典 学养生

养生三要

YANG
SHENG
SAN
YAO

卫生精义

本气

　　天地之气，周于一年；人身之气，周于一日。人身之阳气，以子中①自左足而上循左股、左手指、左肩、左脑。横过右脑、右肩、右臂手指、胁、足，则又子中矣。

注

①子中：十二时辰中的子时中间，指夜间的十二点。

　　阴气以午中①自右手心通右臂、右肩，横过左肩、左臂、左胁、左足、外肾②、右足、右胁，则又午中矣。

注

①午中：十二时辰中的午时中间，指上午的十二点。
②外肾：男子外生殖器，即睾丸。

　　阳气所历，克①满周流；阴气上不过脑，下遗指趾。二气之行，昼夜不息，中外必遍②。

注

①克：能够。
②二气之行，昼夜不息，中外必遍：本文认为阴阳之气是人体生命的根本之气，论述了阴阳之气的运行规律。

一为痰积^①壅塞，则痰疾^②生焉。疾证医候，统纪浩繁。详其本源，痰积虚耳。或痰积上，或积留中，遏气之流，艰于流转，则上气逆上，下气郁下，脏腑失常，形骸受害。

养生三要

读经典学养生

YANG
SHENG
SAN
YAO

卫生精义

注

①痰积：此处是病因，指痰浊积聚。
②痰疾：痰浊积聚导致的疾病。

暨乎气本衰弱，运转艰迟。或有不周，血亦偏滞，风湿寒暑，乘间袭之，所生痰疾，与痰积^①同。凡人之生，热而汗，产而易，二便顺利，则气之通也。阳虚不能运阴气，无阴气以清其阳，则阳浊治而为热^②；阴虚不能运阳气，无阳气以和其阴，则阴浊治而为厥^③。

注

①痰积：此处是病证，九积之一，指痰浊积聚于胸膈之积证。症见头晕目眩，常兼有涕唾稠黏，咳咯难出，胸部隐痛，自觉从咽部至胃脘狭窄如线，腹中累累有块等。如果阴阳之气被体内的痰饮、积浊壅塞，就会发生疾病。
②阳虚不能运阴气，无阴气以清其阳，则阳浊治而为热：阳气病不能运行阴气，没有阴气来濡养阳气，阳气独亢就会出现热证。
③阴虚不能运阳气，无阳气以和其阴，则阴浊治而为厥：阴气病不能运行阳气，没有阳气来调阴气，阴气独盛，就会出现厥证。

读经典 学养生

养生三要

YANG
SHENG
SAN
YAO

卫生精义

脾以养气，肺以通气，肾以泄气，心以役气。凡脏有五，肝独不与。在时为春[1]，在常为仁[2]，不养不通，不泄不役，而气常生。

注

[1] 在时为春：五脏与五行、时节相配属，肝在五行属木，与四季中的春季相对应。

[2] 在常为仁：五脏与儒家五常相配属，肝属仁。五常即仁、义、礼、智、信，是用于调整、规范君臣、父子、兄弟、夫妇、朋友等人伦关系的行为准则。

心虚则气入而为荡，肺虚则气入而为喘，肝虚则气入而目昏，肾虚则气入而腰疼。四虚气入，脾独不与。受食不化，气将日微，安能有余以入其虚？乌乎，兹谓气之名理与[1]？

注

[1] 乌乎，兹谓气之名理与：乌乎，即"呜呼"，叹词，表示叹息。阴阳之气与五脏虚实有重要关系，气在生命活动中具有重要作用，平时应当注意养护人身之气。

津润

天地定位，而水位乎中。天地通气，而水气蒸达。土润膏[1]滋，云兴雨降，而百物生化。

养生三要 读经典学养生

YANG
SHENG
SAN
YAO

卫生精义

①膏：肥沃。

　　人肖①天地，亦有水焉。在上为痰，伏皮为血，在下为精，从毛窍出为汗，从腹肠出为泻，从疮口出为水。痰尽死，精竭死，汗枯死，泻极死。水从疮口出不止，干即死。

注

①肖：相似，像。这里指人与天地相似，体内也有水气。故在养生中，要特别顾护人体的津液。

　　至于血，充目则视明，充耳则听聪，充四肢则举动强，充肌肤身色白，渍则黑①，去则黄。外热则赤，内热则上蒸喉，或下蒸大肠为小窍。

注

①渍则黑：血液瘀滞则肤色紫暗。

　　喉有窍则咳血杀人，肠有窍则便血杀人。便血犹可止，咳血不易医。喉不停物，毫发必咳。血渗入喉，愈渗愈咳，愈咳愈渗。饮溲溺则百不一死，服寒凉则百不一生①。血虽阴类，运之者其和阳②乎？

读经典 学养生

养生三要

YANG
SHENG
SAN
YAO

卫生精义

注

①服寒凉则百不一生：寒凉，代指具有清热、泻火、
解毒、凉血等功能的药物或食物。这段提出"如
果服用寒凉的药物食物，那就一百个也活不了一
个"的警示，对后世医家治疗血证有很大的启发。

②和阳：平和的阳气。

分体

耳、目、鼻、口、阴、尻①，窍也；臂、
股、指、趾，肢也；双乳、外肾，关②也；齿、
发、爪、甲，余③也；枝指、旁趾，附也。

注

①阴、尻（kāo）：前后二阴。

②关：要塞。双乳房、睾丸都属于肝经的重要部位，
故称为"关"。

③余：齿为骨之余，发为血之余，爪甲为筋之余，
故称为"余"。

养耳力者常饱，养目力者常瞑，养臂指者
常屈伸，养股趾者常步履①。

注

①养耳力者常饱，养目力者常瞑，养臂指者常屈伸，
养股趾者常步履：饱，此处指厌闻杂音。养生不仅
需要明白人体各个部分的特征，还应顺应其特征保
健，保养听力要少听杂音，保养视力要经常闭目养

神，保养四肢要经常做屈伸运动，保养腿脚要经常步行走路，这样，血液通畅，人体才能强劲有加。

夏脏宜冷、冬脏宜温。背阴肢末，虽夏宜温。膻包①心火②，虽冬难热③。热作肿而窍塞，血不行而肢废。

注

①膻包：心包，又称心包络或膻中，心外围的组织器官。
②心火：心的代称。心在五行属火，故称。
③虽冬难热：即使冬天也不要用热药。

余有消长无疾痛；附有疾痛无生死者，疣瘤①而已。（以上《褚氏遗书》②）

注

①疣瘤：一种皮肤病，症状是皮肤上赘生黄褐色的小疙瘩，不痛不痒。此处借指无关紧要的东西。
②《褚氏遗书》：医论著作。旧题南齐褚澄编。本书系唐朝人从褚氏中发现石刻整理而成。宋嘉泰年间刊行流传。全书共受形、本气、平脉、精血、津润、分体、余疾、审微、辨书、问子等10篇。

精之名义

精者，极好之称。人之精①最贵而甚少，

37

养生三要

读经典 学养生

YANG
SHENG
SAN
YAO

卫生精义

在身中通有一升②六合，此男子二八未泄之成数。称得一升，积而满者至三升，损而丧之者不及一升。精与气相养，气聚则精盈，精盈则气盛。日啖饮食之华美者为精，故从米从青。

注

①精：此处指男子的精液。精液是人体内最为宝贵的东西，除了能生殖后代外，对保持男子身体健康也具有极其重要的作用，因此，避免损失精液是养生的头等大事，

②升：古代计量单位，相当于一斗的十分之一，一升相当于十合。按唐朝计量单位换算，一小合相当于现在的二十毫升，一大合相当于现在的六十毫升。

人年十六则精泄，凡交一次则丧半合。有丧而无益，则精竭身惫。故欲不节则精耗，精耗则气衰，气衰则病至，病至则身危。噫①，精之为物，其人身之至宝乎！（《养性》②）

注

①噫：古代汉语词，表示悲哀、叹息。
②《养性》：指《备急千金要方》卷二十七《养性》。

精血

饮食五味，养髓骨、肉血、肌肤、毛发。

男子为阳，阳中必有阴，阴之中数八[1]，故一八而阳精外，二八而阳精溢；女子为阴，阴中必有阳，阳之中数七，故一七而阴血外，二七而阴血溢。阳精阴血，皆饮食五味之实秀也[2]。方其外也，智虑开明，齿牙更始，发黄者黑，筋弱者强。

注

[1] 阴之中数八：古人将数字分阴阳，二、四、六、八、十等偶数为阴，一、三、五、七、九等奇数为阳。

[2] 阳精阴血，皆饮食五味之实秀也：男精女血，精血是维持人体生命活动的基本物质，均受到后天水谷的滋养，精能化血，血能生精，故中医学有"精血同源"之说。

　　暨其溢也，凡充身肢体、手足、耳目之余，虽针芥之沥，无有不下。凡子形肖父母者，以其精血尝于父母之身，无所不历也。是以父一肢废，则子一肢不肖其父。母一目亏，则子一目不肖其母。然雌鸟牝兽，无天癸[1]而成胎者，何也？鸟兽精血往来尾闾[2]也。

注

[1] 天癸：此处指月经。

[2] 尾闾：内丹术术语。在夹脊之下尽头处，关可通内肾之窍。尾闾与夹脊、玉枕，合称后三关。

养生三要　读经典学养生

YANG
SHENG
SAN
YAO

卫生精义

读经典 学养生

养生三要

YANG
SHENG
SAN
YAO

卫生精义

精未通，而御女①以通其精，则五体有不满之处，异日有难状之疾。阴已痿②，而思色以降其精，则精不出，内败，小便道涩而为淋。精已耗而复竭之，则大小便道牵疼，愈疼则愈欲，大小便愈疼。

注

①御女：此处隐语，指与女子发生性关系。意在强调男子性生活不必过早，否则会使身体发育不健全，日后会招致各种疾病。

②阴已痿：指男子性功能已经衰退。阴，此处指阴茎，男子外生殖器。痿，指身体一部分痿弱失去功能。这里提倡"年老精竭时不必交合"的养生保健之道，否则，易患淋病或尿道疼痛。

女人天癸既至，逾十年无男子合则不调，未逾十年思男子合亦不调。不调则旧血不出，新血误行，或溃而入骨，或变而之肿，或虽合而难子，出男子多则沥枯。虚人产乳众，则血枯杀人。观其精血，思过半矣①。（《褚氏遗书》）

注

①观其精血，思过半矣：思过半，大部分已领悟。女子也一样，要爱惜精血，早婚会得病，以致不能生育；交合次数太多，生子太多，都会伤害身体，甚至殒命。

精、气、神

象川[①]翁曰：精能生气，气能生神[②]。荣卫[③]一身，莫大于此。养生之士，先宝其精，精满则气壮，气壮则神旺，神旺则身健，身健而少病。内则五脏敷华，外则肌肤润泽，容颜光彩，耳目聪明，老当益壮矣。

注

①象川：即翁葆光，字渊明，号无名子。南宋人，学道在淳熙年间。

②精能生气，气能生神：精、气、神在人体生命活动中的作用极其重要，是生命的三大要素，被称为人身"三宝"。精、气、神三者可分不可离，相互依存、相互为用，在精、气、神的养生中，尤其强调要养精。

③荣卫：保卫。

谷能补精

《内经》曰：精生于谷[1]。又曰：精不足者，补之以味。然醴郁[2]之味，不能生精。惟恬澹[3]之味，乃能补精。《洪范》[4]论味，而曰稼穑[5]作甘。

注

[1] 精生于谷：精，此处泛指人体内的精微物质，包括气、血、津液、水谷精微等。意在强调补精的养生之道是食用最为普通的五谷。

[2] 醴（lǐ）郁：醴，甜美的酒，甜美的泉水。郁，喻香味浓厚。

[3] 恬澹：平淡。澹，同"淡"。

[4] 《洪范》：《尚书》篇名。旧传为箕子向周武王陈述的"天地之大法"，今人或认为系战国后期儒者所作，或认为作于春秋。其中论述了水、火、木、金、土等五行及其性能作用。

[5] 稼穑（jià sè）：指农作物。

世间之物，惟五谷得味之正。但能淡食谷味，最能养精。凡煮粥饭，而中有厚汁滚作一团者，此米之精液所聚也，食之最能生精，试之有效。（《真诠》[1]）

注

[1] 《真诠》：明阳道生著，为道家修仙之作，其中

很多说法于养生颇为有益。

欲事伤精

人身之血，百骸贯通。及欲事作，撮一身之血，至于命门[1]，化精以泄。若不知节啬，则百脉枯槁。交接无度，必损肾元[2]。

[1]命门：指右肾。
[2]交接无度，必损肾元：肾元，即肾气，又称肾真、元真、元精、真气、肾间动气。性生活过度，必定会伤精，中医养生学历来提倡"节欲保精"。

外虽不泄，精已离宫[1]，定有真精数点，随阳之痿而溢出。如火之有烟焰，岂能复返于薪哉！(《集解》)

[1]宫：指肾堂，即左肾。一说指肾宫，丹田异名。

忍精成疾

行房忍精不泄，阻于中途，每致成疾。如内而淋浊[1]，外而便毒[2]等症。

养生三要 读经典学养生

YANG
SHENG
SAN
YAO

卫生精义

养生三要

读经典 学养生

YANG
SHENG
SAN
YAO

卫生精义

注

①淋浊：病名，指小便异常的两种不同症候的疾病。

②便毒：病名，在小腹与大腿折纹缝中交界之际，两胯合缝之间，初起如核，渐大如卵，坚硬木痛，微热不红，寒热交作。在现实生活中，人们由于各种原因，忍精不泄，本文论述了忍精不泄的危害，不仅会导致疾病，更会导致丧命。

病者不自知其由，医者鲜能察其故，用药失宜，因而殒命者多矣，可不慎欤！（《冷庐医话》①）

注

①《冷庐医话》：清陆以湉撰，五卷。其一、二两卷论述医务道德、保生慎药和诊法、用药等项，以及古今医家、古今医书足资取法者。卷三至卷五系摭拾历来名医对多种病证的治验医案等，间附己意，加以发明，推究原委，详其利弊，言多中肯。陆氏所载医史文献资料丰富，论述精广，并多个人识见，故在医话著作中素负盛誉。

冬夏二至宜禁嗜欲

关中隐士骆耕道常言，修养之士，宜书月令①，置之左右。夏至节嗜欲，冬至禁嗜欲②。

注

①月令：此处指时序节令。

②夏至节嗜欲，冬至禁嗜欲：嗜欲，泛指各种嗜好
和欲望，此处专指情欲。冬至与夏至，阴阳二气
互相争夺，容易受到损伤，要小心保护。意在强调，
养生不但平时要节欲保精，在冬至与夏至，尤要
禁欲。

　　盖一阳①初生，其气微矣。如草木萌生，
易于伤伐，故当禁之，不特节也。且嗜欲四时
皆损人，但冬夏二至阴阳相争之时，尤损人耳。
（赵长元）

注

①一阳：指一阳来复。古人认为阴阳二气互相消长，
阴消则阳长，阳消则阴长。一年之中，阳生于冬至，
消于夏至。当阳气生于冬至时，叫作一阳来复。

夏月尤宜藏精

　　人但知冬不藏精者致病，而不知夏不藏精
者更甚焉。尝见怯弱之人，而当酷暑，每云气
欲闷绝，可知中暍①而死者，直因气之闷绝也。
夫人值摇精，恒多气促，与当暑之气闷，不甚
相远。

读经典学养生

养生三要

YANG
SHENG
SAN
YAO

卫生精义

注

①中暍（yè）：病名，即中暑，指夏季炎热，感于暑邪而发生的急性病证。症见突然闷倒，昏不知人，身热烦躁，气喘不语，牙关微紧或口开齿燥，大汗或无汗，脉虚数，或昏迷不醒，四肢抽搐。

经曰，热伤气。又曰，壮火食气①。余故曰：夏令之炎威，甚于冬令之寒，苟不藏精，壮者至秋而发为伏暑②，怯者即中暍而死。（唐立三《摄生杂话》③）

注

①壮火食气：壮火，指过亢的、能耗损人体正气的火。夏季气候炎热，而热能伤气，壮火更是容易耗损人体正气。意在强调，养生不仅秋冬季节要保精，夏季节欲保精也是重要的。

②伏暑：病名，伏气温病之一。因长夏受暑湿之邪，留伏体内，至秋后发病者。因发作时间早迟不同，有伏暑秋发、晚发，伏暑伤寒，冬月伏暑等名称。其发病急骤，病势既重又缠绵难愈。主要特点表现为初起寒热不规则，有发热、心烦、口渴、脘痞、苔腻等暑湿之邪内蕴外发的证候。

③唐立三：清乾隆、嘉庆年间江苏苏州人，名大烈，号笠山，选授苏州府医学正科。《摄生杂话》：唐立三撰写的数则有关养生的心得。见《吴医汇讲》卷八。

恃强则易戕生

薛敬轩[1]曰：人素羸瘠，乃能兢兢业业，凡酒色伤生之事，皆不敢为，则其寿固可延永矣。如素强壮，乃恃其强壮，恣意伤生之事，则其祸可立待也。此岂非命虽在天，而制命在己欤[2]？

注

[1] 薛敬轩：薛瑄（1389-1464年），字德温，又自号慎独子，人称薛夫子，明山西河津人（今属山西）人。他以复性为宗，以濂洛为正系，以力行为第一义，以文艺为第二义，气节甚高。

[2] 此岂非命虽在天，而制命在己欤：在养生面前，人人平等。自以为身体强壮而不知珍惜的人，往往最容易短命。而有些平素身体瘦弱之人，在生活中遵循养生的原则，身体力行地实施调护身心的措施，往往会益寿延年，提高生活质量。

惩忿窒欲

祝无功[1]曰：销铄人莫如忿与欲者[2]。欲动水渗，怒盛火炎。惩之窒之，心火下降，肾水[3]上滋。此亦吾儒坎离交媾[4]功夫，何必仙家！

读经典学养生

养生三要

YANG
SHENG
SAN
YAO

卫生精义

注

①祝无功：祝世禄，字延之，号无功，江西德兴人（一作鄱阳人）。

②销铄人莫如忿与欲者：销铄，指削弱，衰微。欲，指性欲。意在强调愤怒与嗜欲是损害人身心健康的两大因素，因此，人要积极主动地管理好自己的情绪和欲望。

③肾水：肾在五行属水，故称肾水。心火属阳，以下降为宜；肾水属阴，以上升为宜。心火与肾水，一阴一阳，互相滋生。

④坎离交媾：内丹学术语。又名阴阳交媾、阴阳颠倒、龙虎交、水火交等。内丹学以坎（☵）、离（☲）两卦代表"后天阴阳"，离是外阳内阴，坎是内阴外阳。以人身上下分别阴阳，则水火又可分别代表"心火"和"肾水"，因此，在中医学中，坎离交媾有时指心肾相交。

女戒尤可畏

吕新吾①曰：盗为男戒，色为女戒②。人皆知盗之劫杀为可畏，而忘女戒之劫杀。悲夫！

注

①吕新吾：即吕坤。本段出自其著作《呻吟语》。

②色为女戒：色，特指女子的美丽姿色。美色是女敌，用比喻的手法指出贪图色欲对健康是有危害的。

寡欲多男

　　人惟精神耗散，情不专一，且不知撙节[1]，时相侵犯，故往往不能成胎。若能戒淫，则阴骘[2]既大，元气复充，必然得子。又能清秀无毒[3]，易于长成。谚所谓寡欲多男子，洵不诬也[4]。

注

①撙（zǔn）节：节制，节省。

②阴骘（zhì）：阴德阴功，指在人世间所做的而在阴间可以记功的好事。也指暗中做的有德于人的事。

③毒：祸患，祸难。

④谚所谓寡欲多男子，洵不诬也：洵，诚然，确实。从延续后代的角度来论述，放纵情色必定不利于优生优育。

　　夫娶妻本为生子，人顾[1]徒思淫欲，岂知姬妾满房，莫延宗嗣，寡妻是守，多获佳儿。苟知嗣续为重，尚其慎尔邪淫。（《愿体集》[2]）

注

①顾：但是，反而。

②《愿体集》：清史典著。史典还辑有《愿体医话良方》，即《愿体医话》。首为医话12则，后载解毒、骨鲠、溺死、烫伤、咽喉急症等23类救急验方，切于临床实用。又论述医德、酒茶害利、养生、用药等，每则附有按语。

读经典 学养生

养生三要

YANG
SHENG
SAN
YAO

卫生精义

酒色

薛敬轩曰：酒色之类，使人志气昏酣荒耗。伤生败德，莫此为甚[1]。俗以为乐，余不知果何乐也。惟心清欲寡，则气平体胖，乐可知矣。

注

[1] 伤生败德，莫此为甚：生同"身"，身体。酒色最能伤人身体，败人德行。

独宿之妙

独宿之妙[1]，不但老年，少壮时亦当如此。日间纷扰，心神散乱，全在夜间鼾睡[2]，以复元气。若日内心猿意马[3]，奔走驰驱，及至醉饱，又复恣情纵欲，不自爱惜，如泥水一碗，何时得清！（《愿体集》）

注

[1] 独宿之妙：中医学讲究适当的独宿有益于修身养性，尤其在劳累及饱醉之后，不必再恣意纵情。

[2] 鼾睡：同"酣睡"，睡得很香很熟。

[3] 心猿意马：形容心思不专、变化无常，好像马跑猿跳一样。

精薄不孕

世人无不急于生子，要知生子之道，精气①交媾，镕液成胎。故少欲之人恒多子②，且易育，气固而精凝也。多欲之人常艰子，且易夭，气泄而精薄也。

注

①精气：此处指一种构成人生命和精神的物质。
②故少欲之人恒多子：从繁衍后代的角度，将节制房事作为养生的一大重要原则。

譬之酿酒然：斗米下斗水则酡①醇，且耐久，其质全也；斗米倍下水则淡，三倍四倍，则酒非酒，水非水矣，其真元少也。

注

①酡（nóng）：质地浓厚。这里用酿酒作比喻，意在强调放纵性欲不利于优生。

今人夜夜淫纵，精气妄泄，邪火上升，真阳愈惫，安能成胎？即侥幸生子，又安能必其有成？所以年少生子者，咸①多赢弱，欲勤而精薄也。老年生子者，反见强盛，欲少而精全也。

①咸：全，都。

且凡嗜于饮者，酒乱其性，精半非真，无非湿热。勤于欲者，孕后不节，盗泄母阴，耗其胎气。所谓恣纵败坏者，殆以是欤！（《畜德录》①）

①《畜德录》：明陈沂撰。一卷。取周、秦以来迄于元、明嘉言善行，分为21类，亦间附批评。

知此则生子个个皆存

古者妇人怀孕，即居侧室，与夫异寝，以淫欲最为当禁。盖胎在胞中，全赖气血育养，静则神藏。若情欲一动，火扰于中，血气沸腾。三月以前犯之，则易动胎小产①；三月以后犯之，一则胞衣太厚而难产，一则胎元漏泄，子多肥白而不寿。

①三月以前犯之，则易动胎小产：小产，病名，以妊娠12-28周内，胎儿已成形而自然殒堕为主要表现的疾病。

且不观诸物乎？人与物均裹血气以生，然人之生子，不能胎胎顺，个个存。而牛马犬豕①，胎胎俱易，个个无损，何也？盖牛马犬豕，一受胎后，则牝牡②绝不相交。而人受孕，不能禁绝。矧③有纵而无度者乎？（陈飞霞④）

注

①豕（shǐ）：猪。

②牝牡（pìn mǔ）：雌性和雄性的动物。

③矧（shěn）：况且。

④陈飞霞：陈复正（约1736–1795年），字飞霞，惠州府（今广东惠阳）人，罗浮山道士。他潜心研究医典，深通医理，犹精于儿科，广泛搜集前人儿科著作，结合自己临床实践，以实用为标准，判其合离，析其同异，存其精要，辨其是非，辑录为《幼幼集成》。

欲求偕老宜男者，能不知随孕随产及数月小产之原因乎

凡小产有远近，其在二三月者谓之近，五月六月谓之远。新受而产者其势轻，胚①久而产者其势重，此皆人之所知也。至若尤有近者，则随孕随产矣。

读经典 学养生 养生三要

YANG
SHENG
SAN
YAO

卫生精义

注

①胚：在母体内初期发育的动物体，由卵受精后发育而成，人的胚胎借脐带与胎盘相连，通过胎盘从母体吸取营养。

凡今艰嗣之家，犯此者十居五六，其为故也，总由纵欲而然。盖胎元肇①始，一月如露珠，二月如桃花，三月四月而后血脉形体具，五月六月而后筋骨毛发生。

注

①肇始（zhào）：开始。

方其初受，不过一滴之玄津①耳。此其橐籥②正无依，根荄③尚无地，巩之则固，决之则流。

注

①玄津：代指受精。
②橐籥（tuó yuè）：原意指古代冶炼时为炉火鼓风用的皮制助燃器具——袋囊和送风管。此处指受精胚胎。
③根荄（gāi）：亦作"根垓""根核"，植物的根。

故凡受胎之后，极宜节欲①，以防泛滥，否则合污同流，已莫知其昨日孕而今日产矣，朔日②孕而望日③产矣。

养生三要

读经典 学养生

YANG
SHENG
SAN
YAO

卫生精义

注

①故凡受胎之后，极宜节欲：本篇揭示了造成流产
　的重要原因之一是怀孕后纵欲。因此，提倡妇女
　妊娠期禁欲。

②朔日：农历每月的初一。

③望日：农历每月的十五。

　　随孕随产，本无形迹，在明产者胎已成形，
小产必觉；暗产①者胎仍似水，直溜何知？故
凡今之微微家多无大产，以小产占多也。娶娼
妓者多少子息，以其子宫滑而惯于小产也。

注

①暗产：病证名。指怀孕未足一月而流产者，其时
　胚胎尚未成形，人对不知有胎，故名暗产。

　　此外如受胎三月五月，而每有堕者，虽衰
薄之妇常有之，然必由纵欲不节，致伤母气而
堕者为尤多也。故凡恃强过勇者多无子，以强
弱之自相残也。纵肆不节者多不育，以盗损胎
元之气也。岂悉①由妇人之罪哉？（张景岳②）

注

①悉：全，尽。

②张景岳：（1563-1640年）又名张介宾，字会卿，
　别号通一子，会稽（今浙江绍兴）人。明代杰出
　医学家，为温补学派的代表人物，在理论和实践
　上都对中医基础理论的进步和完善起到了巨大的

推动作用。晚年集自己的学术思想，临床各科方药针灸之大成，辑成《景岳全书》六十四卷。

问子

建平王，妃姬等皆丽，而无子。择良家未笄[1]女入御，又无子。问曰：求男有道乎？澄对之曰：合男女必当其年。男虽十六而精通，必三十而娶；女虽十四而天癸至，必二十而嫁[2]。皆欲阴阳气完实，而后交合，则交而孕，孕而育，育而为子，坚壮强寿。

注

①笄（jī）：古代特指女子十五岁可以盘发插笄的年龄。

②男虽十六而精通，必三十而娶；女虽十四而天癸至，必二十而嫁：意在强调"晚婚勿早泄"的保精方法，早婚者形体和心智均未至极盛，其生殖系统欠完善，过早婚育，既不利于形体心智的进一步发育成熟，更不利于生出健康的下一代。

今未笄之女，天癸始至，已近男色，阴气夙[1]泄，未完而伤，未实而动，是以交而不孕，孕而不育，育而子脆不寿，此王之所以无子也。

注

①蚤（zǎo）：同"早"。

然妇人有所产皆女者，有所产皆男者。大王诚能访求多男妇人，谋置宫府，有男之道也。王曰善。未再期①，生六男。夫老阳遇少阴，老阴遇少阳，亦有子之道也。（《褚氏遗书》）

注

①期：一周年、一整月。

昌按：褚彦通先生谓，合男女，必当其年。此"当"字，宜谛①著。今人未冠而娶，未笄而嫁，伤其未完，动其未实，失当极矣。故有艰于孕育者，有促其天年者。知此而引为大戒，何患不益寿毓麟②哉！至访求多男妇人，谋置宫府，为有男之道之说，非常人所应为，不可为法。

注

①谛：仔细（视、听）。
②毓（yù）麟：养育优秀的人才。毓，生育、养育、孕育；麟，古喻好的人才，如麟凤龟龙。

绝欲则康宁

赵长元曰：魏将军七十余披甲上殿，不减

57

少年。问其故，曰：四十五时，已绝男女之欲。
周和尚，庐陵人，九十余，能行远路，须发不白，
言无他术，壮年①能节欲耳。且云，人精液度②
能生人，若保守存留，岂不能资生？

注

①壮年：俗指三四十岁。

②度：估计，推测。

太仓画士张羣①，九十余，耳目聪明，尚
能作画。亦曰平生惟欲心淡，欲事节。或者赖
此，无他术也②。

注

①张羣（huī）：字文蒿（zhù），明太仓（今属江苏）
人。画家，工山水，兼工马。

②或者赖此，无他术也：长寿不衰也许只是凭节欲
保精，并没有其他的方法。本篇列举了几位寿星
的健康实例，用事实说明保精节欲是养生的关键
要素之一。

戒酒为忠孝

宋蔡文忠公襄①，性嗜曲蘖②，饮量过人。及登第③，沉酣昼夜，谏者勿听，无能止之。时太夫人年高，甚以为忧。

注

①宋蔡文忠公襄：蔡襄（1012-1067年），字君谟，北宋天圣八年（1030年）进士，卒赠礼部侍郎，谥文忠。为人忠厚、正直，且学识渊博，书法精妙，书法史上论及宋代书法，素有"苏、黄、米、蔡"四大书家的说法。

②曲蘖（niè）：本意指酒母，代称酒。

③登弟：即登科、及弟，指科举考中进士。

一日，山东贾存道①先生过之，适其宿醒②未起，先生乃大书于壁曰："圣君宠重龙头选，慈母恩深鹤发垂。君宠母恩俱未报，酒如为患悔何追？"文忠起，见之大悟，即日痛惩，终身不复至醉。

注

①贾存道：贾同，原名罔，字公疏，中进士，宋真宗赐名"同"，字"希德"。卒后，门人谥称"存道先生"。临淄（今山东临淄）人。著有《山东野录》七篇、《谏书》四篇。

②宿醒（chéng）：犹宿醉。醒，酒醒后感觉困惫。

贫家有暗合养子之道

裴子^①曰：贫家有暗合养子之道，与富家异^②。盖小儿受病有五。

注

①裴子：裴一中，字兆期，号复庵居士，海宁（今属浙江）人。明末医家。世业医。熟谙《灵枢》《素问》及诸家论著，医术精湛。其治重脾胃，倡调摄养生以防病。撰有《裴子言医》四卷。

②贫家有暗合养子之道，与富家异：穷人穷养孩子的方式，不知不觉中正吻合养子之道，与富人家养孩子不同。现代社会，"富家"养育孩子方面，经常遇到各种各样的问题，意在强调父母要了解孩子的体质特点，掌握养育孩子的正确方法。

一曰暖^①。小儿质禀纯阳^②，而火偏胜，保护无容过暖。《礼》曰：童子不衣裘裳，此其义也。富家之子，一出母胎，即蒙头裹足，燠^③室藏之，稍长则未寒先寒，叠加绒纩^④，更日置之于火，烁其未足之阴，积热^⑤之病，从此变生。贫家之子，则薄被单衣，随地而掷，正得抑阳扶阴^⑥之至理。

注

①暖：意在强调小儿的衣被不必过暖。

②质禀纯阳：指小儿体质的特点。小儿生长发育旺盛，

生机蓬勃，其阳气当发，与体内属阴的物质相比，处于相对优势。表现在病理上，小儿在发病过程中，易患热病，阴津易伤。

③燠（yù）：暖，热。

④纩（kuàng）：泛指棉絮。

⑤积热：病证名，指小儿表里遍身俱热，日久不止，颊赤口干，大小便涩。大多数是由于过食乳食肥甘，加之重被厚棉，炉火侵迫所致。

⑥抑阳扶阴：根据阴阳平衡的理念，抑制阳气，扶助阴气，使阴阳达到和谐的状态。

二曰饱①。人身肠胃，以清虚②为和顺，在小儿则尤要。小儿肠胃柔窄，受盛无多，且不自知饥饱，旋③与旅啖④。而富有之家，则有脂味充盈，恣情多啖，脾胃诸病，从此变生。贫家之子，则无物可食，即食亦清简有常，正得肠胃清虚之至理。

①饱：意在强调小儿的饮食不必过饱。

②清虚：清淡虚空，此处指胃肠处于虚空状态。

③旋：屡次。

④啖（dàn）：吃或拿给别人吃。

三曰怒①。小儿独阳无阴，恒易躁而多怒，惟抑怒可使全阴。富家之子，骄恣之习，越于恒情。怒动肝木，木旺生风，风木乘脾②，惊痫③诸病，从此变生。贫家之子，则素居穷蹇④，无怒敢发，正得抑怒全阴之至理。

养生三要
读经典 学养生

YÁNG
SHĒNG
SĀN
YÀO

卫生精义

注

①怒：意在强调对于小儿的怒气，要适当抑制。

②风木乘脾：指肝木乘脾土，即肝气侵犯脾胃。乘，即乘虚侵袭之意。相乘即相克太过，超过正常的制约程度而发生病变。肝在五行属木，脾在五行属土，木能克土，因此，如果肝木过于亢盛，则容易侵犯脾土。

③惊痫：病证名，一是指小儿痫证，因惊恐而发作；二是指急惊风发作，轻者症见身热面赤，睡眠不安，惊惕上窜，不发抽搐。重者症见两目上视，角弓反张，手足握拳，发抽搐；三是泛指各种惊风、痫证。

④蹇（jiǎn）：不顺利。

　　四曰遏号①。谚云：儿号即儿歌。老子云，终日号而不哑。则知儿之号，出于不自知、不自识，莫或使然，犹天籁也。岂有遏之之理。况阳气为小儿偏隆，最多火病，藉此呼号以泄之，不为无益。而富家之父若母者，反生不忍，动以食慰，而遏其号，郁滞②诸病，从此变生。贫家之子，则听呼号而勿恤，正得顺通天和之至理。

注

①遏号：意在强调对于小儿的哭号，不必专门制止。

②郁滞：病证名，又称郁病。由于气机不调，脏腑
　功能失调而致心情抑郁，情绪不宁，胸部满闷，
　胸胁胀痛，或易怒欲哭，或咽中有异物感等症。

　　五曰伤药①。药乃攻邪物，非养生物也。
多服久服，鲜有不致伤生者。富家之子，则不
论有病无病，日饵无虚，甚至旦暮更医，乱投
汤剂而不知忌，有谓无伤，吾勿信也。贫家不
暇求医，无资取药，纵儿有疾，安意守之，正
得有病不服药为中医之至理。（《言医》②）

注

①伤药：意在强调对于小儿生病，正确调护很重要，
　不必多服久服药物。
②《言医》：裴一中所撰之《裴子言医》，四卷。

读经典学养生　养生三要

YANG
SHENG
SAN
YAO

卫生精义

养生三要

读经典学养生

YANG
SHENG
SAN
YAO

病家须知

病家须知

存退步心能却病

人当卧病，务须常存退步心①。心能退步，则方寸②之间，可使天宽地旷。世情俗味，必不致过恋于心，纵有病焉，可计日而起矣。

注

① 人当卧病，务须常存退步心：病人要自己学会调节情志，以退为进，消除杂念，心宽病自去，这样才有利于疾病痊愈。

② 方寸：指人的心，心绪。

不则，今日当归、芍药①，明日甘草、人参②，是以江河填漏卮③，虽多无益也。

注

①当归、芍药：中医学认为，当归性属温，味辛甘，
  有补血活血的功能；芍药性属凉，味酸，有补血、
  敛血、止痛的功能。当归与芍药同用，能更好地
  发挥补血、和血、止痛的作用，常作为补药使用。
②甘草、人参：人参能大补元气，也是一味常用补药，
  与甘草同用能加强补气的作用。
③漏卮（zhī）：有漏洞的酒器。卮，古代盛酒
  的器皿。

　　先儒有言：予卧病时，常于胸前多书"死"
字，每书数过，顿觉此心寂然不动，万念俱灰，
四大①皆非我有，又何病之足虑哉！虽然，此惟
可与达者②言也。（《言医》）

注

①四大：佛教用语，古印度是指"地、水、火、风"
  的四大物质因素。此处喻指万事万物。
②达者：指性情开朗、豁达的人。

不药之药

　　有有病素不服药者，不为无见①。但须得
知病从何来，当从何去，便是药饵。如饥则食，
食即药也；不饥则不食，不食即药也。渴则饮，
饮即药也；不渴则不饮，不饮即药也。

 读经典 学养生 · 养生三要 · 病家须知

①有有病素不服药者，不为无见：对于不健康的生活方式所导致的疾病，不必无目的地去服药，提倡找到病因后，积极主动地把健康的行为与能力融于日常生活中。

恶风知伤风，避风便是药；恶酒知伤酒，戒酒便是药。逸可以治劳，静可以治躁，处阴以却暑，就煪①以胜寒，衰于精者寡以欲，耗于气者守以默，怯于神者绝以思。无非对病药也，人惟不自知耳。（《言医》）

注

①煪（yù）：暖，热。

病者不可以身试医

苏东坡曰：脉难明，古今所病①也。至虚有盛候，而大实有赢状②，差之毫厘，疑似之间，便有生死祸福之异。此古今所病也。

注

①病：弊端。

②至虚有盛候，而大实有赢状：特别虚弱的疾病，反而有盛大的脉象；而脉象盛大的病人，反而有虚弱的症状。强调医生很难明确脉象。

病不可不谒①医，而医之明脉者，天下盖一二数。骐骥②不时有，天下未尝徒行；和扁③不出世，病者终不徒死，亦用其长而护其短耳。

注

①谒（yè）：拜见。

②骐骥（qí jì）：骏马，常用以比喻贤才。

③和扁：指医和与扁鹊。医和，战国时期秦国的著名医家。扁鹊，战国渤海郡人，姓秦，名越人，精通医术，据史籍载有透视、遥感等异能。

士人多秘所患以求诊，以验医①之能否（医不可以人试药，如何病者乃以身试医耶），使索病于冥漠②之中，辨虚实寒热于疑似之间。医不幸而失，终不肯自谓失也，则巧饰遂非，

读经典 学养生

养生三要

YANG
SHENG
SAN
YAO

病家须知

以全其名，至于不救，则曰是固难治也。此世之通患而莫之悟者。

注

①验医：考验医生。病人故意隐瞒自己的病情，以考验医生医术的高低，最终危害的是自己，不必"以身试医"。

②冥漠：隐约、模糊。

吾生平求医，盖以平时默验其工拙。至于有病而求疗，以尽告其所患而后求诊，使医了然知患之所生也，然后虚实寒热，一按指而脉之疑似，不能惑也。故虽中医，治吾疾常愈。吾求疾愈而已，岂以困①医为事哉！

注

①困：指围困，困住。

慎择良医

疾病为生死相关，一或有误，追悔莫及，故延①医治病，乃以性命相托也，何可不加意慎择？如无的确可信之人，宁可不服药以待命②。

注

①延：聘请。

②如无的确可信之人，宁可不服药以待命：要谨慎选择值得信任的医生，不要被别人的意见和医生的虚名所迷惑。

乃世人独忽于此，惟以耳为目，不考其实学何如，治效何若，闻人称说，即延请施治，甚而日重一日，惟咎已病之难痊，不咎医者之贻误①，服药无效，毫不转念。

注

①贻误：此处指医生误治。

孰知药果中病①，即不能速愈，必无不见效之理。不但服后奏功，当服时已有可征者。如热病服凉药，寒病服热药之类。闻其气已馨香可爱，入于口即和顺安适。如不中病之药，则闻其气必厌恶，入于肠必懊恢②。

注

①中病：恰好合上了病情。

②懊恢（náo）：烦闷。

《内经》云：临病人，问所使。此真诀也。今人则信任一人，即至死不悔，其故莫解。想必冥冥之中，有定数①也。又有与此相反者，偶听人言，即求一试，药未尽剂，又易一医，或一日而易数人，各自立说，茫无主张。此时即有高明之人，岂能违众力争，以遭谤忌？亦惟随人唯诺而已。

注

①定数：一定的气数、命运。谓人生世事的吉凶祸福皆由天命或某种不可知的力量所决定。

　　要知病之传变①，各有定期，方之更换，各有次第，药石乱投，终归不治。二者事异而害同。惟能不务虚名，专求实效，审察精详，见机明决，庶几②不以性命为儿戏矣。（《慎疾刍言》③）

注

①传变：病位的转移和病情的变化。
②庶几：连词，表示在上述情况之下才能避免某种后果或实现某种希望。
③《慎疾刍言》：清徐大椿所撰医论著作。一卷。书中着重剖析医界流弊，以期医家谨慎治疾。内容有误用补剂、内科杂病误治的论述，还有对不同患者（如老人、妇女、小儿）治疗上应有所区分、以及外科病证治法等方面的论述。

病家误

　　天下之病，误于医家者固多，误于病家者尤多。医家而误，易良医可也。病家而误，其弊不可胜穷。有不问医之高下，即延以治病，其误一也。有以耳为目，闻人誉某医，即信为真，不考其实，其误二也。有平日相熟人，务取其便，又虑别延他人，觉情面有亏，而其人又叨①任不辞，希图酬谢，古人所谓以性命当人情，其误三也。

注

①叨（tāo）：表示受到别人好处，常用于谦词。

　　有远方邪人，假称名医，高谈阔论，欺骗愚人，遂不复详察，信其欺妄①，其误四也。有因至亲密友，或势位之人，荐引一人，情分难却，勉强延请，其误五也。

注

①妄：荒谬不合理。

　　更有病家戚友，偶阅医书，自以为医理颇通，每见立方，必妄生议论，私改药味，善则归己，过则归人。或各荐一医，互相毁誉，遂成党援①。

读养生
经三
典要
学

YANG
SHENG
SAN
YAO

病家须知

甚者各立门户，如不从己，反幸灾乐祸，以期必胜，不顾病者之死生，其误六也。

注

①党援：结党为援。

又或病势方转，未收全功，病者正疑见效太迟，忽而谗言蜂起，中道变更，又换他医，遂至危笃①，反咎前人，其误七也。

注

①危笃：病势危急。

又有病变不常，朝当桂、附①，暮当芩、黄②。又有纯虚之体，其症反宜用硝、黄③。大实之人，其症反宜用参、术④，病家不知，以为怪僻，不从其说，反信庸医，其误八也。又有吝惜钱财，惟钱是取，况名医皆自作主张，不肯从我，反不若某某等和易近人，柔顺受商，酬议可略。扁鹊云：轻身重财不治，其误九也。

注

①桂、附：肉桂和附子。肉桂，性味辛、甘，大热。归肾、脾、心、肝经。补火助阳，引火归源，散

寒止痛，活血通经。附子，性味辛、甘、大热；
有毒。归心、肾、脾经。回阳救逆，补火助阳，
逐风寒湿邪。

②芩、黄：黄芩和黄连。黄芩，性味苦，寒。归肺、
胆、脾、大肠、小肠经。清热燥湿、泻火解毒，止血，
安胎。黄连，性味苦，寒，无毒。归心、脾、胃、
肝、胆、大肠经。清热燥湿，泻火解毒。

③纯虚之体，其症反宜用硝、黄："虚则补之"，
体质虚的人一般适合用补药，但如果体虚伴有实
证，需要使用芒硝、大黄等攻伐药物，不能一味
地用补药。

④大实之人，其症反宜用参、术："实则泻之"，
体质实一般适合用具有攻伐作用的药物，但如果
体质虽实，却伴有虚证，则需使用人参、白术之
类的补药。

　　此犹其大端耳。其中更有用参、附则喜，
用攻伐则惧。服参、附而死，则委之命。服攻
伐而死，则咎[①]在医，使医者不敢对症用药。
更有制药不如法，煎药不合度，服药非其时，
或更饮食起居，寒暖劳逸，喜怒言语，不时不
节，难以枚举。小病无害，若大病则有一不合，
皆足以伤生。

注

①咎：过失，罪过。

养生三要

读经典 学养生

YANG
SHENG
SAN
YAO

病家须知

读经典 学养生

养生三要

YANG
SHENG
SAN
YAO

病家须知

然则为病家者当如何？在谨择名医而信任之[1]。如人君之用宰相，择贤相而专任之，其理一也。然则择贤之法何若？曰：必择其人品端方、心术纯正，又复询[2]其学有根柢，术有渊源，历考所治，果能十全八九，而后延请施治。

注

[1] 在谨择名医而信任之：本篇一一列举了患者在求医过程中容易犯的种种错误，为了避免这些错误，患者需要做的是谨慎地选择一位真才实学的好医生，然后信任他，这对治愈疾病有极其重要的作用。
[2] 询：征求意见，打听。

然医各有所长，或今所患其所长，则又有误。必细听其所论，切中病情，和平正大。又用药必能命中，然后托之。所谓命中者，其立方之时，先论定此方所以然之故，服药之后，如何效验。或云必得几剂而后有效，其言无一不应，此所谓命中也。如此试医，思过半矣。若其人本无足取，而其说又怪僻不经，或游移恍惚，用药之后，与其所言全不相应，则即当另觅名家，不得以性命轻试。此则择医之法也。（《医论》[1]）

养生三要　读经典学养生

YANG
SHENG
SAN
YAO

病家须知

①《医论》：亦名《医学源流论》，清徐大椿著。
二卷。此书堪称为"徐大椿医学论文集"，共收
其评论文章99篇。上卷为经络脏腑、脉、病、方
药，下卷则治法、书论（并各科）、古今。共7纲，
93子目，持论多精凿有据。论医家的源流利弊，
议论通达。

煎药宜瓦罐

　　凡煎药并忌铜铁器，宜用银器、瓦罐。洗
净封固，令小心者看守，须识火候，不可太过
不及。火用木炭、芦苇为佳。其水须新汲①
味甘者，流水、井水、沸汤等，各依方。（李
时珍②）

①汲：从下往上打水。
②李时珍：（1518-1593年）明朝医学家，字东璧，
　蕲州（今湖北蕲春西南）人，所著《本草纲目》
　为我国药物学史上一大巨著，另有《濒湖脉学》等，
　亦为医家所推崇。

煎药之法不同

　　煎药之法各殊①。有先煎主药一味，后入
余药者；有先煎众味，后煎一味者；有用一味

养生三要

读经典学养生

YANG
SHENG
SAN
YAO

病家
须知

煎汤以煎药者；有先分煎，后并煎者；有宜多
煎者（补药②皆然）；有宜少煎者（散药③皆然）；
有宜水多者；有宜水少者；有不煎而泡渍者；
有煎而露一宿者；有宜用猛火者；有宜用缓火
者。各有妙义，不可移易。

注

①煎药之法各殊：煎药是治病过程中很重要的一个
环节，关系到方药是否有效。然而煎法、煎药顺
序各有不同，找到各自所适合的煎法，才能获得
最快、最好的疗效。

②补药：即能够补充人体气血阴阳，增强正气，治
疗虚证的药物。

③散药：此处指具有发散通行作用的药，多数味辛，
加热后容易耗散。

今则不论何药，惟知猛火多煎，将芳香之
气散尽，但存浓厚之质。如煎烧酒者，将糟久煮，
则酒气全无矣，岂能和营达卫①乎！须将古人所
定煎法，细细推究，而各得其宜，则取效尤捷。
（《慎疾刍言》）

注

①和营达卫：协调营卫。营、卫，营气与卫气的合称。
营气、卫气同出一源，皆由水谷精微化生。营气
行于脉中，卫气行于脉外，营气在里，卫气在表。
营卫之气在人体内循环往复，维持人体生命的正
常规律，增强抵御疾病的能力，使人不患病或少

患病。人的起卧、气血的胜与衰、体力的强与弱，都与营卫之气的正常循行有关。因此，营卫之气必须协调不失其常，才能维持正常的生命规律。

煎药用水多少法

今之大小汤剂，每一两用水二瓯①为准，多则加，少则减之。如剂多水少，则药味不出；剂少水多，又煎耗药力也。（李时珍）

注

①瓯（ōu）：盅，杯。其大小已不可知。一般煎药用水，多淹出药面二三指为度。

煎药之火候

补汤须用熟，利药①不嫌生。补药用水二盏②，煎至八分，或三盏煎至一盏；利药一盏半，煎至一盏，或一盏煎至八分。（《入门》③）

注

①利药：泛指各种通利、发散药。

②盏：为药液或水、酒的粗略计量单位，容量约合今之150~300毫升。

③《入门》：《医学入门》，明李梴编著，九卷，针对初学中医者撰写，内容包括历代医家传略、

保养、运气、经络、脏腑、诊断、针灸、本草、方剂，以及外感内伤病机、内外妇儿各科疾病证治等。

补药欲熟，多水而少取汁；泻药欲生，少水而多取汁。（东垣①）

注

①东垣：李东垣（1180-1215 年），又名李杲，字明之，宋著名医学家，晚年自号东垣老人，真定（今河北正定）人。李东垣从师于张元素，是中国医学史上"金元四大家"之一，属易水派，是中医"脾胃学说"的创始人。李东垣十分强调脾胃在人身的重要作用，因为在五行当中，脾胃属于中央土，因此李东垣的学说也被称作"补土派"。主要著作有《脾胃论》《内外伤辩惑论》《用药法象》《医学发明》《兰室秘藏》《活发机要》等。

煎药先后用水多少、火候缓急均宜区别

若发汗药，必用紧火①热服；攻下药，亦用紧火煎熟，下硝黄再煎温服；补中药宜慢火温服；阴寒急病，亦宜紧火急煎服之。

注

①紧火：指火势旺，火力猛烈的火。反之为慢火。

又有阴寒烦躁，及暑月伏阴①在内者，宜水中沉冷②服。（李时诊）

注

①暑月伏阴：指盛夏时潜伏在内的阴气。
②沉：浸泡。

按时服药

古人服药活法①。病在上②者不厌频而少；病在下③者不厌频而多。少服则滋荣于上，多服则峻补其下。

注

①活法：灵活的方法。
②病在上：病位在人体上部，如头、上肢、胸部等处。
③病在下：病位在人体下部，如腹部、下肢等处。

凡云分再服三服①者，要令势力相及，并视人之强弱，病之轻重，以为进退增减，不必泥法②。（李东垣）

注

①再服：一份分两次服用。三服：一份分三次服用。
②泥法：拘泥于旧有的方法。

服药活法

病在胸膈已[1]上者，先食而后服药；病在心腹已下者，先服药而后食；病在四肢血脉者，宜空服而在旦；病在骨髓者，宜饱满而在夜。（《千金》[2]）

注

①已：同"以"。
②《千金》：《备急千金要方》，简称《千金要方》或《千金方》，三十卷，是综合性临床医著。唐代孙思邈著。该书所载医论、医方较系统地总结了唐代以前诊治经验之大成，对后世医家影响极大。

服药之法，古方一剂必分三服，一日服三次；并有日服三次，夜服三次者。盖药味入口，即行于经络，驱邪养正，性过即已[1]，岂容间断。

注

①已：结束。

今人则每日服一次，病久药暂，此一暴十寒[1]之道也。又有寒热不得其宜，早暮不合其时，或与饮食相杂，或服药时即劳动冒风，不惟无

读经典学养生

养生三要

YANG
SHENG
SAN
YHO

病家须知

益，反能有害。

读经典学养生　养生三要

YANG
SHENG
SAN
YAO

病家须知

注

①一暴十寒：比喻时而勤奋，时而懒惰，没有恒心。意在强调要根据病情，按时服药。

　　至于伤寒①及外感痘症②，病势一日屡变，今早用一剂,明晚更用一剂,中间间隔两昼一夜，经络已传，病势益增矣。（《慎疾刍言》）

注

①伤寒：指外感风寒之邪，感而即发的疾病。症见头痛发热，身疼腰痛，骨节疼痛，恶风，无汗，咳喘等症状。
②痘症：又称天花，是由天花病毒引起的烈性传染病，传染性强，病死率高。症见皮疹成批出现，依序发展成斑疹、丘疹、疱疹、脓疱疹，伴以严重的病毒血症，脓疱疹结痂、脱痂后，终身留下凹陷性瘢痕。

养生三要

读经典 学养生

YANG
SHENG
SAN
YAO

病家须知

汤药须冷热得中，
而又不宜促数

　　凡服利汤[1]，欲得侵早[2]。凡服汤，欲得稍热，服之即易消不吐。若冷则呕吐不下，若太热则破人咽喉，务在用意。

注

[1] 利汤：具有通利作用的汤药。
[2] 侵早：天刚亮的时候，拂晓。

　　汤必须澄清，若浊令人心闷不解。中间相去[1]，如步行十里久再服。若太促数[2]，前汤未消，后汤来冲，必当吐逆。仍问病者腹中药消散，乃可进服。

注

[1] 中间相去：两次服药中间相隔的时间。
[2] 促数：促，时间短；数，屡次，频繁。意在强调服药时间相隔不必太短促，服药不必太频繁。

服药后有宜行动者

凡服补汤，欲得服三升半，昼三夜一，中间间食，则汤气灌溉百脉，易得药力。凡服汤不得太缓太急，又须左右仰覆卧各一，食顷①则汤势遍行腹中。又于室中行一百步许皆可。一日勿外出，即大益。

注

①食顷：吃一顿饭的时间。

服汤药有忌酒者，有宜厚覆者

凡服汤二日，当忌酒，缘①汤忌酒故也。凡服治风汤，第一厚覆取汗，若得汗即须薄覆，勿令大汗。中间亦须间食，不尔②，人无力，更益虚羸。

注

①缘：因为。
②不尔：不然，否则。

读经典 学养生

养生三要

YANG
SHENG
SAN
YAO

病家须知

服泻药以利为度

凡服泻药，不过以利^①为度，慎勿过多，令人下利无度^②，大损人也。（《千金》）

注

①利：大小便通利。
②度：限度。

服药有约

黄帝曰："有毒无毒，服有约^①乎？"岐伯曰："病有新久，方有大小^②，有毒无毒，固有常制矣。大毒治病，十去其六；常毒治病，十去其七；小毒治病，十去其八；无毒治病，十去其九。谷肉果菜，食养尽之，无使过之，伤其正也^③。"（《内经》）

注

①约：制约，限定。
②方有大小：处方有大方、小方。大方，指药味多、量重、力强而顿服的，或能治下焦肝肾病的方剂。对病重或有兼证的多用大方。小方，指药味少、量轻、力弱、多次分服的方剂。一般适用于轻或没有兼证的疾病。
③谷肉果菜，食养尽之，无使过之，伤其正也：谷物、

養生三要

读经典 学养生

YANG SHENG SAN YAO

病家须知

84

肉类、果类、菜类，已经足够营养人体，但也不能过量，过犹不及。

猛药宜先少服

若用毒药治病，先起如黍粟[①]，病去即止，不去倍之，不去十之，取去[②]为度。（《千金》）

注

①黍粟：黍，即黄米。粟，即谷子。这里用来比喻用药量小，但不同毒性的药物用量各不相同，药量不一定非得用像黍粟大小。

②去：指去病。

服酒药以知为度

凡服酒药[①]，欲得使酒气相接，无得断绝，绝则不得药力。多少皆以知[②]为度，不可令至醉及吐，则大损人也。（《千金》）

注

①酒药：药酒，以酒作为溶介，将药物置于酒中浸泡而成。

②知：此处指神志清醒。意在强调酒药的度，也需适量，不宜高，不必饮至醉酒的程度。

读经典 学养生

养生三要

YANG
SHENG
SAN
YAO

病家须知

养
生
三
要

读经典
学养生

YANG
SHENG
SAN
YAO

病家须知

服药后有邪正相争之现状者，不可仓皇

凡伤寒家服药后，身热，烦躁，发渴，冒瞀①，脉两手忽伏而不见，恶寒战栗，此皆阴阳氤氲②，正邪相争，作汗之征也。姑宜静以待之，不可因而仓皇，及至错误。（王安道③）

注

①冒瞀（mào）：冒，眩晕。瞀，眼花，视物不明。

②氤氲：原指烟云弥漫，气或光混合动荡的样子。此处指阴阳二气交会和合之状。

③王安道：王履（约1332–1391年），字安道，号畸叟，又号抱独老人、奋翁。元末明初江苏昆山人。画家，医学家。学医于朱丹溪，尽得朱氏之学。其探讨医理强调对临床实践的指导作用，治学严谨，立论有据。著有《医经溯洄集》《百病钩玄》《医韵统》等。王氏十分重视运用亢害承制之理来说明人体自身的防病抗病能力，重视机体的内在调节，重视"因病知原"，以病证推断病因，对明清以后医学发展产生一定的影响。

服丸药法

凡丸药皆如梧桐子大，补者十丸为始，从一服渐加，不过四十丸，过亦损人云。一日三度服，欲得引日，多时不阙[1]，药气渐渍[2]，薰蒸五脏，积久为佳。不必频服，早尽为善。徒弃名药，获益甚少。（引日者，延长时日也。）（《千金》）

注

① 阙：通"缺"。
② 渍：浸，沤，沾。

服药应忌之品

凡服甘草忌猪肉、菘菜、海菜；黄连、胡黄连忌猪肉、冷水；苍耳忌猪肉、马肉、米泔；桔梗、乌梅忌猪肉；仙茅忌牛肉、牛乳；半夏、菖蒲忌羊肉、羊血、饴糖；牛膝忌牛肉；阳起石、云母、钟乳、硇砂[1]、礜石[2]并忌羊血；商陆忌犬肉；丹砂、空青、轻粉并忌一切血；吴茱萸忌猪心、猪肉；地黄、何首乌忌一切血、葱、蒜、萝卜；补骨脂忌猪血、芸苔；细辛、藜芦忌狸肉、生菜；荆芥忌驴肉，反河豚[3]、一切无鳞鱼蟹；紫苏、天门冬、丹砂、龙骨忌鲤鱼；巴

病家须知

豆忌野猪肉、菰笋④、芦笋、酱豉、冷水；苍术、白术忌雀肉、青鱼、菘菜、桃李；薄荷忌鳖肉；麦门冬忌鲫鱼；常山忌生葱、生菜；附子、乌头、天雄忌豉汁、稷米；牡丹忌蒜、胡荽；厚朴、蓖麻忌炒豆；鳖甲忌苋菜；威灵仙、土茯苓忌面汤、茶；当归忌湿面；丹参、茯苓、茯神忌醋及一切酸。

注

①硇（náo）砂：别名北庭砂、白硇砂等。矿物，主要含氯化铵。咸苦辛，温，有毒。功能消积软坚，破瘀散结。

②礜（yù）石：别名青分石、太白石、石盐等。矿物，是制砷和亚砷酸的原料，有剧毒。功能消冷积，祛寒湿，蚀恶肉，杀虫。

③河豚（tún）：肉味鲜美，但卵巢、血液、肝脏有剧毒。

④菰（gū）笋：别名茭白、菱瓜等，是我国特有的水生蔬菜。功能利大小便，止热痢，除目黄，止渴。

　　凡服药，不可杂食肥猪、犬肉，油腻、羹鲙、腥臊陈臭诸物。

　　凡服药，不可多食生蒜、胡荽、生葱、诸果、诸滑滞之物①。

注

①滑滞之物：指腥膻油腻，滑肠滞气，不易消化的荤腻食物。

服药忌见之事

凡服药，不可见死尸、产妇、淹^①秽^②等事。

注

①淹：腐败。
②秽：肮脏，丑恶。

饮食应忌之品

凡服猪肉，忌生姜、荞麦、葵菜、胡荽、梅子、炒豆、牛肉、马肉、羊肝、麋鹿、龟、鳖、鹌鹑、驴肉；猪肝，忌鱼鲙、鹌鹑、鲤鱼、肠子；猪心肺，忌饴、白花菜、吴茱萸；羊肉，忌梅子、小豆、鱼鲙、猪肉、豆酱、荞麦、醋酪、鲊^①；羊心肝，忌梅、小豆、生椒、苦笋；白狗血，忌羊、蒲子、羹鸡；犬肉，忌菱角、蒜、牛肠、鲤鱼、鳝鱼；驴肉，忌凫茈^②、荆芥、茶、猪肉；牛肉，忌黍米、韭薤^③、生姜、猪肉、犬肉、栗子；牛肝，忌鲇鱼；牛乳，忌生鱼、酸物；马肉，忌仓米、生姜、苍耳、粳米、猪肉、鹿肉；兔肉，忌生姜、橘皮、芥末、鸡肉、鹿肉、獭肉；獐肉，忌梅、李、生菜、鸽、虾；麋鹿，忌生菜、菰蒲、鸡、鲍鱼、雉、梅、李、虾；鸡肉，忌胡荽、

养生三要 读经典 学养生

YANG
SHENG
SAN
YAO

病家须知

养生三要

读经典 学养生

YANG
SHENG
SAN
YAO

病家须知

芥末、生葱、糯米、李子、鱼汁、犬肉、鲤鱼、兔肉、獭肉、鳖肉、野鸡；鸡子，忌同鸡；雉肉，忌荞麦、木耳、蘑菰、胡桃、蕈菌、鲫鱼、猪肝、鲇鱼、鹿肉；野鸭，忌胡桃、豆豉、木耳；鸭子，忌李子、鳖肉；鹌鹑，忌菌子、木耳；雀肉，忌李子、酱、猪肝；鲤鱼，忌猪肝、葵菜、蜜、犬肉、鸡肉；鲫鱼，忌芥菜、蒜、沙糖、猪肝、鸡、雉、鹿肉、猴、麦门冬；青鱼，忌豆藿④、生胡荽、麦酱、生葵菜；鱼鲊，忌豆藿、麦酱⑤、蒜、绿豆；黄鱼，忌荞麦；鲈鱼，忌乳酪；鲟鱼，忌干笋；鲴鱼，忌野猪、野鸡；鲇鱼，忌牛肝、鹿肉、野猪；鳅、鳝，忌犬肉血，桑柴煮；鳖肉，忌苋菜、薄荷、芥菜、桃子、鸡子、鸭肉、猪肉、兔肉；螃蟹，忌荆芥、柿子、橘子、软枣；虾子，忌猪肉、鸡肉；李子，忌蜜、浆水、鸭、雀肉、鸡、獐；橙橘，忌槟榔、獭肉；桃子，忌鳖肉；枣子，忌葱、鱼；枇杷，忌热面、炙肉；杨梅，忌生葱；银杏，忌鳗、鲡；慈菇，忌茱萸；诸瓜，忌油饼；砂糖，忌鲫鱼、笋、葵菜；荞麦，忌猪肉、羊肉、雉肉、黄鱼；黍米，忌葵菜、蜜、牛肉；绿豆，忌榧子（杀人）、鲤鱼、鲊；炒豆，忌猪肉；生葱，忌蜜、雉、枣、犬肉、杨梅；韭薤，忌蜜、牛肉；胡荽，忌猪肉、鱼鲊；胡蒜，忌鱼鲙、鱼鲊、鲫鱼、犬肉、雉；苋菜，忌蕨、鳖；白花菜，忌猪心肺；梅子，忌猪肉、羊肉、獐

90

养生三要

读经典　学养生

YANG
SHENG
SAN
YAO

病家须知

肉；凫茈，忌驴肉；生姜，忌猪肉、牛肉、马肉、兔肉；芥末，忌鲫鱼、兔肉、鸡肉、鳖；干笋，忌砂糖、鲊鱼、羊心肝；木耳，忌雉肉、野鸡、鹌鹑；胡桃，忌野鸭、酒、雉；栗子，忌牛肉。（《本草纲目》）

注

①鲊（zhǎ）：用腌、糟等方法加工的鱼类食品。也泛指腌制食品。
②凫茈（fú cí）：荸荠。
③薤：多年生草本植物，鳞茎可以吃。
④豆藿：豆叶，泛指野菜。
⑤麦酱：用麦子、芝麻、黄豆、糯米、植物油等制成。

疮瘥宜慎口味

凡诸恶疮①瘥②后，皆百日慎口味，不尔③，即疮发也。（《千金》）

注

①恶疮：指脓液多且严重而顽固的外痈。其临床特点为病程长，病位深，范围大，难敛难愈。意在强调，对于恶疮等皮肤疾病，"慎味"是很重要的，忌食辛辣腥臊，油腻原味，不只限于一百天。
②瘥（chài）：病愈。
③不尔：不这样。尔，如此，这样。

养生三要

读经典 学养生

YANG
SHENG
SAN
YAO

病家须知

宜少宜戒

凡饵汤药，其粥食肉菜，皆须大熟，熟即易消，与药相宜。若生则难消，复损药力。仍须少食菜及硬物，即盐醋，亦忌多进。尤不能苦心用力，及房室[1]、喜怒等事。（《千金》）

注

①房室：指性生活。

痔漏疳蜃者戒

凡服痔漏疳蜃等药，皆慎猪、鸡、鱼、油等味，至瘥。（《千金》）

注

①疳蜃（ní）：疳，中医学指小儿面黄肌瘦、腹部膨大的病症，多由饮食没有节制或腹内有寄生虫引起。蜃：中医学中指虫咬的病。

肿胀者戒

病肿胀[1]既平[2]，当节饮食。忌盐、血、房室。犯禁者，病再作，必死。

92

养生
三要

读经典
学养生

YANG
SHENG
SAN
YAO

病家须知

注

①肿胀：水肿的症状之一，因体内水湿停留，导致面目、四肢、胸腹甚至全身浮肿。

②平：平定，平复。

痨嗽者戒

病痨嗽①，忌房室、膏粱②，犯者死。

注

①痨嗽：又作"劳嗽"，咳嗽的一种，是一种慢性、传染性、消耗性疾病，部分相当于现代的结核病。

②膏粱：肥肉和细粮，泛指肥美的食物。在饮食上，不必一味地服肥甘厚味，否则不但不能补养身体，反而阻碍脾胃消化吸收，使身体更加虚弱。

伤寒与水肿者戒

伤寒①之后，忌荤肉、房事，犯者不救。水肿②之后，禁房事，及油、盐等三年。

注

①伤寒：中医学中指多种发热的病，又指由风寒侵入人体而引起的病。

②水肿：中医学中指体内水液潴留，泛溢肌肤而引起头面、眼睑、四肢、腹背甚至全身浮肿的病。

93

养生三要

读经典 学养生

YANG
SHENG
SAN
YAO

病家须知

滑泄者戒

滑泄①之后戒油腻。

注

①滑泄：又称"滑精"，指夜间无梦而遗，甚至清醒时精液自动滑出的病症，是遗精发展到了较重的阶段。

病久者戒

病久否闭①，忽得涌泄，气血冲和，心肾交媾②，阳事③必举。尤切戒房室。（佚名）

注

①否（pǐ）闭：闭塞不通。
②心肾交媾（gòu）：也叫心肾交融。心藏神属火，肾藏精属水，心肾相交，水火既济，神精相合。
③阳事：讳指阴茎。

有病切戒迁动远行

有病远行，不可车载马驮，是为重扰，犯者即死。

病新愈者戒

时病①新愈，食蒜鲙者，病发，必致大困；时病新愈，食犬羊肉者，必作骨蒸②热；时病新愈，食生枣及羊肉，必作鬲③上热蒸；时病新愈，食生菜，令人颜色终生不平复；时病新愈，饮酒食韭，病必复作。

注

①时病：时令病，指在一定季节流行的病。季节性流行病一般来势凶猛，痊愈后体质下降，尤应注意饮食禁忌。

②骨蒸：中医学病证名。为阴虚劳瘵的一种症状。又称骨蒸劳热。骨蒸形容热从内出，不易解除。其临床表现是盗汗、面颊和手足心热，有时感觉发热而测量体温则在正常范围。有时尚受情绪影响。

③鬲：通"膈"，指膈膜。

有不必忌口者

脏毒①酒毒，下血呕血，妇女三十以下血闭，六七月间，脓血恶痢，疼痛不止，妇人初得孕择食者，已上皆不忌口。

注

①脏毒：一指痢疾或内伤积久所致的便血；一指肛门肿硬，疼痛流血。

有不能忌口者

凡久病之人，胃气虚弱者，忽思荤茹①，亦当少少与之，图引浆粥，使谷气入胃，此权变之道也。若专以淡粥责之，则病人不悦，而食减不进，久则病增损命，此不忌反忌之过也。（张子和②）

注

①茹：吃。
②张子和：（约1156-1228年）名从正，号戴人，睢州考城（今河南兰考）人。金代医家，金元四大家之一。世业家，学宗刘完素。主要学说为"三法六门"。强调病因多为外邪伤正，病以热证、实证为多，疾病分为风、寒、暑、湿、燥、火六门。主张祛邪以扶正，治病善用汗、吐、下三法，

后世称攻下派。但亦注意适时补益。其先攻后补之治法一反滥用温补之时弊。

久病后宜停药

久病后，不可恣①投以药，且无论药之谬，即对病者，不可不慎。何也？人之元气，以胃气为本，胃气又以谷气为本。故《内经》曰："无毒治病，十去其九。谷肉果菜，食养尽之②。"不曰以药养之也。

注

①恣：任意，任性。
②谷肉果菜，食养尽之：谷肉果菜类，都是饮食养生的正品。对久病者的调护要以养护正气为主，以补为主，而补应以日常饮食为主，正所谓"药补不如食补"。

凡药过剂①，未有不伤脾胃之正气者。正气伤，则有作泻、作呕与肿满者，甚至膈胀不能食，而反生他证者，名为补人，而实害人。

注

①过剂：超过剂量。

纵口者非，绝谷者尤非

病有纵口吻①而死者矣。亦有绝其谷而视其死者焉。世都不察，幽潜②沉冤者众矣。念及此，深为酸鼻。

注

①纵口吻：此处指放纵口腹之欲。

②幽潜：幽：隐蔽的，不公开的；潜，隐藏。

夫饮食，养生物也，可节而不可纵，然亦不可使之绝。故节之则生，不节而纵且绝则死。纵而死，病者之责矣。绝而视其死，伊谁之责耶？如伤寒、伤风、伤食等有余①之病，或胀、或痛、或呕、或吐，感之暴而脉躁疾有力，且无虚证之兼者，虽不与之食亦可也。此不可与而不与，是节之，非绝之也。

注

①有余：指实证。

及久病久虚，久不饮食之人，陡觉谷气馨香，欲求啖①而不敢遽②啖，正胃气初回之候，法当徐投浆粥，或少与适口不助邪之物，以充胃气。胃气充则元气亦充，而病自无不愈。若概视饮食为毒药而不与，是绝之，非节之也。

则几微之胃气，将安恃乎！

养生三要 读经典 学养生

YANG
SHENG
SAN
YAO

病家须知

注

①啖：吃。
②遽（jù）：急，仓促。

节饮节食

病中固宜节食，尤宜节饮①。食伤人所易知，饮伤人都不觉。不惟②茶汤浆酒，以及冰泉瓜果之伤，谓之伤饮，即服药过多，亦谓之伤饮。

注

①节饮："节饮食"实为"节饮"与"节食"，意在强调不要忽略伤饮带来的危害。
②惟：单，只。

其见证也，轻则腹满肠鸣，为呕为吐，重则腹急如鼓，为喘为呃①。甚则紧闭牙关，涎流口角，昏瞆②不醒人事，状类中风。患此症者，滔滔皆是。或未有识，不得不为来者言之。（《言医》）

注

①呃：呃逆，俗称"打嗝"，是胃气上逆的表现。
②昏瞆：眼花耳聋，指头脑不清。

99

灼艾后不可饕餮厚味

养生三要
读经典 学养生

YANG
SHENG
SAN
YAO

病家须知

灼艾[1]后，惟"节饮食"三字为首务，不可饕餮[2]厚味，致伤胃气。今之人一经灼艾，便以食不胜人为忧。其始也胃气未伤，犹能勉力啖嚼。

注

[1] 灼艾：即艾灸，利用艾绒在体表穴位上的烧灼，借助灸火的温、热力和药物的作用，通过腧穴经络的传导，起到温通气血、扶正祛邪的作用，从而治疗疾病和保健的一种外治法。

[2] 饕餮（tāo tiè）：传说中一种凶恶贪食的野兽，此处指贪食。艾灸后，多数病人会胃口大开，但要注意切不可贪食，尽量清淡饮食，少食多餐，以养护胃气。

数日后胃气被伤，即胀满而不能食，不泻则吐，不吐则疟与痢，所从出矣。且更不思自贻伊戚[1]，而犹咎施艾者之无功，良可笑也，良可悲也。（《言医》）

注

[1] 自贻伊戚：比喻自寻烦恼，自招忧患。贻，遗留。伊，此。戚，忧愁，悲哀。

虚痨者宜知此

　　虚痨[1]病，唯于初起时，急急早灸膏肓[2]等穴为上策，此外则绝房室、息妄想、戒恼怒、慎起居、节饮食，以助火攻之不逮[3]。一或稍迟，脉旋增数，虽有良工，勿克为已。

注

[1]虚痨：病名，包括因气血、脏腑虚损所致的多种病症，以及相互传染的骨蒸、传尸。后世多将前者称为虚损，后者称为劳瘵。虚痨病于难治之症，灸法是古人最常用的方法之一。

[2]膏肓：此处指膏肓俞，在背部，当第四胸椎棘突下，旁开三寸。功能补虚益损，调理肺气。

[3]不逮：不到，不及。

　　葛可久[1]曰：痨症最为难治，当治于微病之初，莫治于已病之后。深有旨也。至于药饵则贵专而少，不贵泛而多，万不可漫听名流，积月穷年，不撤润肺滋阴之药。润肺滋阴之药，擅名固美，酿祸极深，不可不知，不可不慎。（《言医》）

注

[1]葛可久：葛乾孙（1305-1353 年），江苏长州人。元代医学家。他是我国古代对肺痨病治疗有突出

读经典 学养生

养生三要

YANG
SHENG
SAN
YAO

病家须知

成就的医学家，所撰《十药神书》为我国现存第一部治疗肺痨的专书。

　　初起灼艾，固为上策。然惟瘵①症为宜。设属真阴虚损，滋阴之药，在所必用，汪缵功②论之详矣。又未可再以艾火劫其阴也。《理虚元鉴③》一书，尤不可不读。（王孟英④）

注

①瘵（zhài）：病名，劳瘵的简称，相当于现代的结核病。另外，虚损之重症也称作瘵。

②汪缵（zuǎn）功：字光爵，号学舟，清康熙年间苏州名医，成名在叶天士、薛生白之前。擅治虚劳等内伤杂病，著有《医要》，其中之《虚劳论》对虚劳论述颇详，特具识见。

③《理虚元鉴》：明汪绮石撰。中医虚劳证治专著。本书理法方药俱备，对虚劳的病机阐发、论治大法和预防措施都自成体系，对中医虚损学说的形成产生了深远影响。其对虚劳病机的认识，对虚劳辨证、审脉、立法、制方、选药的独特见解，至今仍有重要的临床指导意义。

④王孟英：王士雄（1808-1868年），字孟英，幼字篯龙，号梦隐、半痴山人、随息居士等，堂名潜斋、归砚，盐官（今浙江海宁）人，清著名医学家。精研医理，尤深明温热病诊治。以"新感""伏邪"为两大辨证纲领，其论治宗叶天士、薛生白，喜用寒凉之品。著有《温热经纬》《霍乱论》《归砚录》，刊定《重庆堂随笔》，纂《随息居饮食谱》，辑有《潜斋简效方》《四科简效方》《汇刊经验方》

《王氏医案》等，评注《女科辑要》《言医》《古今医案选》等。著作多收入《潜斋医学丛书》。

亦有病初愈而不可骤补者

凡泻病、痢病、虫病、疳病、水病、酒病、疸^①病于初愈时，不可骤服滋补之药。盖此数病，以湿热为原，滋补之药乃助湿热之尤者，骤而服之，鲜^②不致害。（《言医》）

注

①疸：又称黄疸，病证名。身黄、目黄、小便黄是其三大主症。多由感受时邪，或饮食不节，湿热或寒湿内阻中焦，迫使胆汁不循常道所致。
②鲜：少。

泻痢亦有宜滋补者，但须佐以坚阴清热之品，不可甘温腻补耳。（王孟英）

病者忌与亲友接谈

凡有以问疾来者，勿得与之相接^①。一人相接，势必人人相接，多费语言，以耗神气。以所契者^②，又因契而忘倦；所憎者，又因憎而生嗔。甚或坐盈一室，竞起谈风，纵不耐烦，又不敢直辞以去。

注

①凡有以问疾来者，勿得与之相接：患病之后，最好能养心静气，探视者要以病人的健康为重，不必使病人为人情所累。

②所契者：相投合的人。

嗟①嗟！有病之人，力克②几何，而堪若此！恐不终朝而病已增剧矣。然此犹为害之小者耳。更有一等摇唇鼓舌、好事生非，病者一惑听，必致恼怒填胸，不知自爱。而其为害，又不可言。智者于此，休将性命做人情。（《言医》）

注

①嗟：叹息。

②克：能。

坠跌晕绝者慎勿移动

凡从高坠下而晕绝者，慎勿移动。俟①其血气复定而救之，有得生者。若张皇扶掖以扰乱之，百无一生。

注

①俟：等待。

养生三要

读经典　学养生

YANG
SHENG
SAN
YAO

病家须知

余戚沈氏之女，年甫十岁，从楼坠地，晕死，急延医视之，曰："幸未移动，尚可望生，否则殆矣。"乃以药灌之，移时渐苏而安。治跌损者，人尿煮热，洗之灌之，良。（陆定圃[①]）

注

[①]陆定圃：陆以湉（1802-1865年），字薪安，一字定圃，浙江桐乡人。清代医学家。学理经验丰富、尝摭拾闻见，随笔载述，撰成《冷庐医话》五卷，载医范、医鉴、慎疾、保生等内容，并以病名分类，叙杂证治疗经验及见闻，多医史文献资料。另撰有《冷庐杂识》《再续名医类案》等。

读养生三要 经典学养生

YANG
SHENG
SAN
YAO

病家须知

坠跌晕绝者知此则生

读《续名医类案》[1]，而知移动之禁，非独坠跌者宜然也。备录之。

注

[1]《续名医类案》：清代魏之琇（玉璜）编。原六十卷。经王孟英新增重编为三十六卷。分345门，集录清以前历代名医的验案，包括临床各科，尤以温热病更突出。

张子和治叟年六十余，病厥热头痛，以其用涌药[1]时，已一月间[2]矣。加之以火，其人先利，年高身困，出门见日，而仆不知人。家人惊惶，欲揉扑之。张曰："大不可扰。"与西瓜、凉水、蜜雪，少顷而苏。盖病人年高，漏泄则脉易乱。身体内有炎火，外有太阳，是以跌仆。若更扰之，便不救矣。

注

[1]涌药：此处指发汗药。
[2]间：一段不长的时间。

汪石山[1]治人卒厥[2]暴死，不知人：先因微寒发热，面色姜黄，六脉沉弦而细，知为中风久郁所致。令一人紧抱，以口接其气，徐以热

养生
三
要

读经典
学养生

YANG
SHENG
SAN
YAO

病家须知

姜汤灌之，禁止喧闹移动，则气不返矣。有顷
果苏，温养半月而安。

注

① 汪石山：汪机（1463-1539 年），字省之，别号
石山居士，祁门（今属安徽）人。明著名医学家。
其家世代行医，祖父汪轮、父亲汪渭均为名医。
汪石山幼业儒，后随父习医。研读诸家医书，参
以《周易》及儒家性理奥论，治病屡效。他认为
人体应阴阳平衡，气血调和，不可偏执一端。强
调治病应四诊合参，缺一不可。认为治病应博采
众长，辨证论治。发明新感温病，以补单言"伏
气温病"之不足，促进了明清温病学说之发展。
撰有《医学原理》十三卷、《本草会编》二十卷（已
佚）、《读素问钞》九卷、《脉诀刊误集解》两卷、《外
科理例》八卷、《痘治理辨》一卷、《针灸问对》
三卷、《伤寒选录》、《运气易览》、《医读》、《内
经外注》（已佚）、《诊脉早晏法》，与门人校刊《推
求师意》。其门人辑其医案成《石山医案》一书，
影响甚广。
② 卒厥：突然昏倒。

　　不特此症为然，凡中风、中气、中寒、暴厥，
俱不得妄动，以断其气。《内经》明言气复返则生。
若不谙①而扰乱，其气不得复返，以致夭枉者
多矣。

养生三要

读经典 学养生

YANG
SHENG
SAN
YAO

病家须知

注

①谙（ān）：熟悉。

魏玉横①曰：遇卒暴病，病家、医士，皆宜知此。盖暴病多火，扰之则正气散而死也。余女年十八，忽暴厥，家人不知此，群集喧闹，又扶挟而徙之他所，致苏而复绝，救无及矣。今录张汪二案，五内犹摧伤也。（陆定圃）

注

①魏玉横：魏之琇（1722－1772 年），字玉璜，号柳洲，钱塘（今浙江杭州）人。清代医家。精于医术，以江瓘《名医类案》所收历代医家之诊治病案未备，乃博取近世医书及史传、地志、文集等所载医案分类编纂成《续名医类案》六十卷，可谓集清以前医案之大成。

生于忧患

病之加于小愈者，因小愈而放其心也。天下事处逆者恒多易，处顺者反多难。病当未愈而求愈时，欲不得逞①，志不敢肆，凡语言动止，饥饱寒温，以及情形喜怒之间，无不小心翼翼，自然逆可转顺，不期愈而不愈者鲜矣。

养生三要

读经典 学养生

YANG
SHENG
SAN
YAO

病家须知

注

①逞：显示、纵容。

　　愈则此心不觉康强自慰，保护渐疏，恣口吻也，爽寒温也，多语言也，费营虑也，近房室也，顺情性而烦恼也，广应酬而不自知为劳且伤也。有谓病不反加于此者无之矣。因忆孟夫子"生于忧患，死于安乐①"之说，信②不可不书诸绅③，而铭座右也。（《言医》）

注

①生于忧患，死于安乐：患病时，善于调护而身体易康复，康复后不注意调护而使病情加重。养生贵在坚持，即使病愈之后，仍然要付诸行动，以"防患于未然"。
②信：确实。
③绅：古代士大夫束腰的大带子。

养生三要

读经典 学养生

YANG
SHENG
SAN
YAO

医师箴言

医师箴言

大医须先发慈悲恻隐之心

　　凡大医治病，必当安神定志，无欲无求，先发大慈恻隐之心①，誓愿普救含灵②之苦。若有危厄来求救者，不得问其贵贱贫富，长幼妍媸③，怨亲善友，华夷④愚智，普同一等，皆如至亲之想。

注

①先发大慈恻隐之心：恻隐，对受苦难的人表示同情、不忍。意在强调，一个"大医"除了要医术精湛外，更应具有仁慈的心灵与博大的胸怀。

②含灵：佛家语，指具有灵性的人类。

③妍媸（yán chī）：妍指美丽，媸指相貌丑陋。

④华夷：指汉族与少数民族，亦指中国和外国。

　　亦不得瞻前顾后，自虑吉凶，护惜身命。见彼苦恼，若己有之，深心悽怆，勿避险巇[①]，昼夜寒暑，饥渴疲劳，一心赴救，无作夫形迹[②]之想，如此，可为苍生大医。反之，则是含灵巨贼。（《千金》）

注

①险巇（xī）：形容山路危险，道路艰难。
②行迹：形式。此指拘礼、客套、摆架子等形式。

养生三要 读经典 学养生

YANG
SHENG
SAN
YAO

医师箴言

大医须读古今医书，
又宜兼通术数

　　凡欲为大医，必须谙《素问》①《甲乙》②《黄帝针经》③《明堂流注》④，十二经脉⑤、三部九候⑥、五脏六腑、表里⑦孔穴⑧、本草药对⑨，张仲景⑩、王叔和⑪、阮河南⑫、范东阳⑬、张苗⑭、靳邵⑮等，诸部经方。

注

①《素问》：《黄帝内经·素问》，与《灵枢》同为《黄帝内经》之组成部分，是现存最早的中医理论著作，托名黄帝创作。原九卷，后经唐王冰补订，改编为二十四卷，计81篇，定名为《黄帝内经素问》。以人与自然统一观、阴阳学说、五行学说、脏腑经络学说为主线，论述摄生、脏腑、经络、病因、病机、治则、药物以及养生防病等各方面的联系，集医理、医论、医方于一体，突出阐发了古代的哲学思想，强调了人体内外统一的整体观念，从而成为中医基本理论的渊源。

②《甲乙》：全称为《黄帝三部针灸甲乙经》，晋皇莆谧撰，皆论针灸之道，凡118篇。

③《黄帝针经》：西汉以前曾有过《九针》与《刺法》两篇针刺专著，后来发展为古《针经》，进一步增益与改编，成为《黄帝针经》，即今之《灵枢》，为古代针灸学术著作。

④明堂流注：经脉的图像古人称之为"明堂""明堂图"或"明堂流注"。《隋书·经籍志》转引

的梁《七录》中有《明堂流注》六卷，已佚。

⑤十二经脉：是经络系统的主体，具有表里经脉相合，与相应脏腑络属的主要特征。包括手三阴经：手太阴肺经、手厥阴心包经、手少阴心经；手三阳经：手阳明大肠经、手少阳三焦经、手太阳小肠经；足三阳经：足阳明胃经、足少阳胆经、足太阳膀胱经；足三阴经：足太阴脾经、足厥阴肝经、足少阴肾经，也称为"正经"。

⑥三部九候：寸口诊脉法术语，在寸口的寸、关、尺三部分别进行浮、中、沉三种不同指力的脉诊，合为三部九候，现不常用。

⑦表里：疾病辨证过程中的证候分类，是辨别疾病部位和病势深浅的两个八纲辨证中的纲领。

⑧孔穴：穴位。

⑨本草药对：药对又称对药，是临床用药中相对固定的两味药物的配伍形式，在方剂配伍中能起到协同增效或减毒的作用。

⑩张仲景：东汉末年著名医学家，被称为医圣。张仲景广泛收集医方，著成《伤寒杂病论》，确立辨证论治原则，是中医临床的基本原则。

⑪王叔和：（201-280年）名熙，西晋高平（今山东邹城）人。魏晋之际的著名医学家。整理《伤寒论》，在吸收扁鹊、华佗、张仲景等古代著名医学家的脉诊理论学说的基础上，结合自己的临床实践经验，写成了我国第一部完整而系统的脉学专著《脉经》，使脉学正式成为中医诊断疾病的一门科学。

⑫阮河南：阮炳，字叔文，或作文叔，陈留尉氏（今属河南）人，曾任河南尹，故又称阮河南。晋代医家。撰有《阮河南药方》，已佚。

⑬范东阳：范汪（约308-372年），字玄平，南阳

读经典学养生

养生三要

YANG
SHENG
SAN
YAO

医师箴言

读经典 学养生

养生三要

YANG
SHENG
SAN
YAO

医师箴言

顺阳(今河南内乡)人。曾任东阳太守,又称范东阳。撰有《范汪方》一百七十余卷,今佚。此书为唐以前研制伤寒较有成就的医学方书,于外科治疗亦有一定水平,并收集有当时民间单验方。

⑭张苗:西晋著名医家,善脉诊。创用蒸法治伤寒无汗,治中风善用独活汤,或用其发明导尿术治转胞。

⑮靳邵:晋代医生。自幼致力于经方及本草,善于配制"五石散",为当时崇尚服石之风的诸公卿所推重。

又须涉猎群书妙经,解阴阳禄命①诸家相法,及灼龟②五兆③,《周易》六壬④,并须精熟。如此,方得为大医。(《千金》)

注

①禄命:推算人的禄食命运。古代宿命论者认为,人生的盛衰、祸福、寿夭、贵贱等均由天定。

②灼龟:古代占卜术,用火烧灼龟甲,视其裂纹以测吉凶。

③五兆:古代一种占卜法。把龟甲灼裂后出现的兆象分为五类,用以判断吉凶。

④六壬:又称六壬神课,是用阴阳五行占卜凶吉的一种古老的术数门类,与奇门遁甲、太乙神数合称三式,为三式之首。后世很多《易》学术数皆源自六壬。

习医须先识字后读书

　　凡为医师，当先读书，凡欲读书，当先识字①。字者文之始也，不识字义，宁②解文理？文理不通，动成窒③碍，虽诗书满目，于神不染，触途成滞，何由省人？譬诸面墙，亦同木偶，望其拯生民④之疾苦，顾⑤不难哉？（《本草经疏》⑥）

读经典　学养生
养生三要
YANG
SHENG
SAN
YAO
医师箴言

注

① 凡为医师，当先读书，凡欲读书，当先识字：学习中医需要终生学习，不断读书。识字，读书，然后才能学医。

② 宁：岂能。

③ 窒：阻塞不通。

④ 生民：指人民。

⑤ 顾：表示反问。

⑥ 《本草经疏》：又名《神农本草经疏》，明缪希雍撰。三十卷。本书系将《神农本草经》药物和部分《证类本草》中药物共490种，分别用注疏的形式加以发挥，并各附有主治参互及简误二项，考证药效及处方、宜忌等，引证较广。

医学读书法

读经典 学养生

养生三要

YANG
SHENG
SAN
YAO

医师箴言

一切道术，必有本源，未有目不睹汉唐以前诸书，徒①记时尚之药数种，而可为医者。今将医学必读之书并读法，开列于左，果能专心体察，则胸有定见，然后将后世之书，遍观博览，自能辨其是非，取其长而去其短矣。

注

①徒：只；仅仅。

《灵枢经》①。此明经络、脏腑之所以生成，疾病之所由侵犯，针灸家不可不详考，方脉家略明大义可也。

《素问》。此明受病之源，乃治病之法。千变万化，无能出其范围。如不能全读，择其精要切实者，熟记可也。

注

①《灵枢经》：又称《灵枢》《针经》《九针》，是现存最早的中医理论著作，约成书于战国时期。共九卷，81篇，与《素问》合称《黄帝内经》，是中医基本理论的渊源。

《伤寒论》①。此一切外感之总诀，非独治伤寒也。明于此，则六淫②之病，无不贯通矣。

注

①《伤寒论》：东汉张仲景撰，全书共十二卷，22
篇，397法，除去重复之外共有药方112个。该书
集汉代以前医学之大成，并结合自己的临床经验，
系统地阐述了多种外感疾病及杂病的辨证论治，
理法方药俱全，为中医临床各科奠定了辨证论治
的基础，被后世称为"方书之祖"。

②六淫：即风、寒、暑、湿、燥、热、火六种外感
病邪的统称。

　　《金匮》①。此一切杂病之祖方。其诸大
症，已无不备。能通其理，天下无难治之
病矣。

注

①《金匮》：即《金匮要略》，东汉张仲景撰，《伤
寒杂病论》中的"杂病"部分。全书共25篇，方
剂262首，列举病证六十余种。所述病证以内科
杂病为主，兼有部分外科、妇产科等病证。是中
国现存最早的一部诊治杂病的专著。

　　《神农本草》①。《神农本草经》，止
三百六十种。自陶弘景以后，药味日增，用法
益广，至明李时珍《纲目》而大备。其书以《本
经》为主，而以诸家之说附之，读者字字考验，
则能知古人制方之妙美，而用之不穷矣。

注

① 《神农本草》：撰人不详，"神农"为托名。本书系统总结东汉以前零散的药学知识，是我国现存最早的药学专著。全书分三卷，载药365种，分上、中、下三品。在很长一段历史时期内，《神农本草经》是医师和药师的教科书。

《外台秘要》①《千金方》②二书，汇集唐以前之经方、秘方及妇科、儿科、外科，无所不备，博大深微。必明乎《灵》《素》、仲景之书，方能知所审择，不致泛滥而无所适从矣。

注

① 《外台秘要》：又名《外台秘要方》，唐代王焘撰，四十卷。是唐代由文献辑录而成的综合性医书。汇集了初唐及唐以前的医学著作，对医学文献进行了大量的整理工作，保存大量唐以前医学文献，使前人的理论研究与治疗方药全面系统地结合起来。全书将内、外、妇、儿、五官各科，以及采药、制药、服石、腧穴、灸法等内容编为1104门，载方六千余条。每门先论后方，顺序井然。

② 《千金方》：唐孙思邈撰。思邈有《千金方》三十卷，《千金髓方》二十卷，《千金翼方》三十卷。他认为人命贵于千金，治人一命，等于施舍千金，因而著书都以千金为名，《千金方》经宋林亿等校正，名《备急千金要方》，简称《千金方》，《千金翼方》也由林亿校定，《髓方》已失传。

妇科、儿科。妇人除经、带、胎、产之外，与男子同。小儿除惊痫、痧痘而外，与老壮同。所以古人并无专科，后人不能通贯医理，只习经产惊痘等方药，乃有专科。若读前所列之书，则已无所不能。更取后人所著《妇人良方》①《幼幼新书》②等，参观可也。

注

① 《妇人良方》：又名《妇人良方大全》《妇人大全良方》《妇人良方集要》，宋陈自明撰。本书整理编辑宋以前妇产科著作，分调经、众疾、求嗣、胎教、妊娠、坐月、产难、产后等八门。每门分若干病证，共二百余论。

② 《幼幼新书》：大型儿科类书，南宋刘昉等辑撰。本书为宋以前儿科学之集大成者，有较高的临床参考价值。其所引前代资料颇为丰富，且文献均有明确出处，其中不乏后来已佚之医著或其他文献，故又有很重要的文献价值。

外科。其方亦具《千金》《外台》，后世方愈多而法愈备。如《窦氏全书》①《疡科选粹》②，俱可采取。惟恶毒之药，及轻用刀针，断宜切戒。

注

① 《窦氏全书》：《窦氏外科全书》，即《疮疡经验全书》。旧题宋窦汉卿撰，实为明窦梦麟补辑

明代以前外科诸书而成。本书内容庞杂，不限于外科疮疡。其他如五官科、皮肤病科、小儿科、诊断学及解剖学等也有论述。

②《疮疡选粹》：外科著作，八卷。明陈文治撰。本书系精选历代外科各家学说参以作者临床经验编撰而成。包括外科、皮肤科、五官科及伤科的各类病证，共分111篇，所载方药多切于实用。

《御纂医宗金鉴》①。源本《灵》《素》，推崇《伤寒论》《金匮要略》，以为宗旨。后乃博采众论，严其去取，不尚新奇，全无偏执，又无科不备，真能阐明圣学，垂训后人。习医者即不能全读古书，只研究此书，足以名世矣。

注

①《御纂医宗金鉴》：简称《医宗金鉴》，清乾隆皇帝诏令吴谦主持编纂的大型医学丛书。本书内容切合实际，丰富简约，逐渐成为后世医学教与学的必读书。

《本草纲目》。可谓集诸氏之大成矣。踵之者有刘若金之《本草述》①、倪纯宇之《本草汇言》②、赵恕轩之《纲目拾遗》③，尤足以补李氏之阙矣。然皆不过贯穿融汇于金元诸名家而已。

注

① 刘若金之《本草述》：刘若金（1585-1665 年），字云密，自号蠡园逸叟，湖北潜江人。明末医家。隐居 30 年，编著成《本草述》三十二卷，载药 691 种。它的分部和先后次序多与《本草纲目》不同。分水火土金等 30 部，权度药物生成之时以及五气、五味、五色，以明阴阳升降之理，为注释药性家之祖。

② 倪纯宇之《本草汇言》：倪朱谟，字纯宇，钱塘（今浙江杭州）人。明末药学家。他取材于历代主要的本草四十余种，兼收并列，"甄罗补订，删繁去冗"，并周游省直，遍访耆宿，采访 148 名明代医药家，将所得药论或方剂编纂成《本草汇言》二十卷。书中所收方剂，"必见诸古本有据，时贤有验者，方敢信从"。全书共收集药物 626 种，有药图 530 幅（以图名为计算依据），其中约 180 篇为药材图。一般在药名之下记有性味、阴阳、归经等，然后用小字注明产地和药物的形态，此后集录诸家论药之言，最后附有相关方剂，大大地丰富了中医临床用药和药性理论的内容。《本草汇言》与李时珍的《本草纲目》、陈嘉谟的《本草蒙筌》、缪希雍的《本草经疏》，并称四大本草名著。又云：世谓李时珍的《本草纲目》得其详，而《本草汇言》得其要。

③ 赵恕轩之《纲目拾遗》：赵学敏（约 1719-1805 年），字依吉，号恕轩，钱塘（今浙江杭州）人。潜心药学，成《本草纲目拾遗》十卷，全书按水、火、土、金、石、草、木、藤、花、果、谷、蔬、器用、禽、兽、鳞、介、虫分类，载药 921 种，其中《本草纲目》未收载的药物 716 种，绝大部分是民间药，

养生三要

读经典 学养生

YANG
SHENG
SAN
YAO

医师箴言

还有一些外来药品。除拾《本草纲目》之遗以外，并对《纲目》所载药物备而不详的，加以补充，错误处给予订正。

惟卢子繇之《本草乘雅》[①]、邹润安《本草疏证》[②]，力追上古，直溯长沙[③]，抉发精微，推阐尽致，扫尽诸家芜秽，而归于至当。学者幸生其后，得读其书，从此而心唯神悟，深造有得，庶上接神农之一脉哉。

注

① 卢子繇之《本草乘雅》：卢之颐（约 1598-1664 年），字子繇、繇生、子蒙，号晋公、芦中人。钱塘（今浙江杭州）人，名医卢复之子，明清间医学家。以 18 年之精力著述《本草乘雅》，计收药 365 种，每药之下，以核、参、衍、断四目释之，重在阐析药理。此书不幸为兵火焚毁，后又以记忆中的材料重新整理，仅及原稿之半，遂题之为《本草乘雅半偈》，共十卷，刊行于世。

② 邹润安《本草疏证》：邹澍（1790-1844 年），字润安，江苏武进人。通晓天文、推步、地理，尤喜攻医术。道光年间从事本草研究，编成《本经疏注》（内含《本经疏证》十二卷、《本经续疏》六卷、《本经序疏要》八卷）。此书取《神农本草经》、《名医别录》为经，《伤寒论》《金匮要略》《千金方》为纬，交互参证，采用笺疏之例，辨证之体，重在讨论药性及其在古方中的运用。

③ 长沙：代指张仲景。因其做过长沙太守，所以有张长沙之称。

医书之大纲

　　本朝医学极盛，医书亦大备。伤寒之书，喻嘉言《尚论篇》①、柯韵伯《来苏集》②、王晋三《古方选注》③，俱独出手眼，直抉心源。伤寒六经④兼诸症，柯氏发其端；温热等病究三焦⑤，叶氏宣其旨。苕南吴坤安荟萃群言，勒为成书《伤寒指掌》⑥，而伤寒之学无余蕴矣。

①喻嘉言《尚论篇》：喻昌（1585－约1664年），字嘉言，新建（今属江西）人。新建古称西昌，故晚年号西昌老人。明末清初医家。其治学推崇《伤寒论》，于三纲鼎力说多有阐发。晚年将其在伤寒方面之研究著成《尚论篇》八卷，详论伤寒六经证治，春月温病，夏秋暑湿热诸病及脉法、治法等。

②柯韵伯《来苏集》：指柯琴所著《伤寒来苏集》。柯琴（约1662-1735年），字韵伯，号似峰，原籍浙江慈溪。博学多闻，能文善诗，精通医学，对《内经》《伤寒论》颇有研究。《伤寒来苏集》为研究整理《伤寒论》的名著之一。包括《伤寒论注》《伤寒论翼》和《伤寒附翼》三书。其中《伤寒论注》四卷，是柯氏将《伤寒论》原文，依据六经的方证分立篇目、重加编次而成。《伤寒论翼》二卷，主张《伤寒论》之六经辨证方法是为百病立法，而非单指伤寒。《伤寒附翼》二卷，是论方专书，

养生三要
读经典学养生

YANG
SHENG
SAN
YAO

医师箴言

③王晋三《古方选注》:指王子接《绛雪园古方选注》。王子接，字晋三，长州（今江苏苏州）人。清代医学家。潜心于医经、本草，深得仲景医书奥旨。《绛雪园古方选注》三卷记载其五十年临证心得，乃其暮年与诸门人切磋方义，由门人记录整理而成。该书述仲景方法、诸科方论及病源，故又名《十三科选注》，除将古书方剂进行分类整理外，并对各方方义、药味、配伍等予以注释，简明实用。书末附《绛雪园得宜本草》，收药354种。

④伤寒六经:此处六经是太阳经、阳明经、少阳经、太阴经、少阴经、厥阴经的合称。张仲景把伤寒病证分为太阳、阳明、少阳、太阴、厥阴、少阴六种。

⑤三焦:此处指三焦辨证，是以上焦、中焦、下焦为纲，对温病过程中的病理变化、证候特点及传变规律进行分析和概括，确立治疗原则，并以此推测预后疾病转归的辨证方法。

⑥苕南吴坤安荟萃群言，勒为成书《伤寒指掌》:吴贞，字坤安，浙江吴兴人。曾得叶天士、薛生白亲授伤寒秘旨。行医三十年，凡遇感证，在经治经，在脏治脏，在腑治腑，务求保存病者元气。著《伤寒指掌》四卷，概述六经本病，并以温热立论，兼及变病、类病，先古法次新法。古法悉本《证治准绳》《医宗金鉴》等。新法则宗叶天士、薛生白诸家心得，斟酌古今，条分缕析，精切而实用。何廉臣曾评释此书，易名《感证宝筏》梓行。

杂病①之书，首称叶天士《临症指南》②，而张石顽《医通》③、秦皇士《证因脉治》④次之。他如吴鞠通《温病条辨》⑤之温，戴麟郊《广瘟疫论》⑥、刘松峰《松峰说疫》⑦、余师愚《疫症一得》⑧之疫，吴师朗《不居集》⑨之虚劳，萧慎斋《女科经论》⑩、沈尧峰《女科辑要》⑪之女科，程凤雏《慈幼筏》⑫之幼科，叶大椿《痘学真传》⑬之痘科，顾澄江《疡医大全》⑭之外科，皆突过前贤。

养生三要
读经典学养生

YANG
SHENG
SAN
YAO

医师箴言

注

① 杂病：泛指除伤寒、温病以外的多种疾病，以内科病证为主。

② 叶天士《临症指南》：指叶天士《临证指南医案》。叶天士（1666-1754年），名桂，号香岩，别号南阳先生，晚年又号上律老人，江苏吴县（今江苏苏州）人。清代名医，四大温病学家之一。其主要著作《温热论》，为我国温病学说的发展提供了理论和辨证的基础。《临证指南医案》则系其门人华岫云收集叶氏晚年医案，分门别类集为一书，每一门由其门人撰附论治一篇，门后附徐大椿评议，书末附所用方剂索引。其中温病治案较多，较完整地反映了叶氏学术经验，体现了其治病辨证细致，善于抓住主证，对症下药的特点。后人称其辞简理明，"无一字虚伪，乃能征信于后人"。

③ 张石顽《医通》：指张璐《张氏医通》。张璐（1617-1699年），字路玉，晚号石顽老人，江南长州人（今江苏苏州）。与喻昌、吴谦齐名，被称为我国清初三大医家之一。著有《伤寒缵论》《伤寒绪论》《伤寒兼证析义》《张氏医通》《千

125

养生经典

读养生
经三
典要

YANG
SHENG
SAN
YAO

医师箴言

金方衍义》《本经逢源》《诊宗三昧》等。《张氏医通》初名《医归》，十六卷，乃仿照王肯堂《证治准绳》的体例，汇集古今方论，附以医案编成。所佚痘疹、目科由其子补辑。此书专论杂证，多取法朱丹溪、薛立斋、张景岳、王肯堂诸家，以之贯通本人学术主张，理论、实践皆富。于血证诊治辨析尤详，治痢尚"温理气化"法。人谓此书可比《证治准绳》。

④秦皇士《证因脉治》：指明秦景明撰、清秦皇士补辑之《症因脉治》。秦景明，名昌遇，字景明，号广埜山道人，上海人，明末名医。《症因脉治》述内科杂病证治，主张先辨症候，症分内外伤，因分内外因，脉分虚实，治分经络，就症审因，就因审脉、定治。秦景明生前此书仅为手稿，未刊行。秦皇士，名之桢，字皇士，一字思烜，秦景明之从孙。行医三十年后，承伯祖遗著，将《症因脉治》编就为四卷，于内科书中颇有影响。

⑤《温病条辨》：七卷，清吴鞠通撰。是治疗温热病较有系统的一部温病学著作，上承吴又可，下启王孟英，对后世影响很大。认为温病有九种，除最具传染性的温疫外，还有可从季节及疾病表现上加以区分的八种温病，这是对于温病很完整的一种分类方法。书中创立了"三焦辨证"的学说，这是继叶天士发展了张仲景的六经辨证，创立了卫气营血辨证方法之后，在中医理论和辨证方法上的又一创举。《温病条辨》中，还有许多优秀的实用方剂，如银翘散、桑菊饮、藿香正气散、清营汤、清宫汤、犀角地黄汤等，都是后世医家极为常用的方剂。

⑥戴鳞郊《广瘟疫论》：戴鳞郊，戴天章，字鳞郊，

江苏上元（今江苏南京）人。《广瘟疫论》，又名《广温热论》，四卷。注释吴又可《温疫论》，加意阐发辨析瘟疫与伤寒之异，特别是在二者早期证候的鉴别、病因、受病、传经、兼证等方面做了细致的区分，并分别论述二者的表里证候，总结汗、下、清、和、补五种治法，于卷尾附载温热病方84首，是一部说理透彻、简明清晰、易学易记的温病学著作。

⑦刘松峰《松峰说疫》：刘松峰，刘奎，字文甫，号松峰老人，清嘉庆年间名医，山东诸城人。《松峰说疫》六卷，载病证一百四十余种、方剂200个，分述古、论治杂疫、辨疑、诸方、运气等方面，内容丰富，论证翔实。该书遵张仲景《伤寒论》六经证治之说，结合临床经验，独创瘟疫六经治法，又继承了《温疫论》的大部分学术思想，同时又加以发挥和补充，首创了三疫说、避瘟方，同时还对治疗疫病的药物加以补充和修正，在治疗瘟疫症方面独树一帜。

⑧余师愚《疫症一得》：指余霖《疫疹一得》。余霖，字师愚，常州（今属江苏）人[2]。清著名医学家。《疫疹一得》二卷，温病专书。着重论述疫疹证治，其论与吴又可《温疫论》稍有异同，取其辨证，其治则用达原饮、三消承气诸方，所创用清瘟败毒饮为治疗外感热病重症气血双清之名方，在临床上卓有成效。其倡导"非石膏不足以治热疫"之说，丰富发展了疫疹治法。

⑨吴师郎《不居集》：吴澄，字鉴泉，号师郎，安徽歙县岭南人。清代康乾时期医家。学宗《灵枢》《素问》《难经》，据历代名贤论治内外虚损、六淫外袭及似损非损之症，又把《易经》的道理

养生三要

读经典 学养生

YANG
SHENG
SAN
YAO

医师箴言

汇通到医理中，取《易经》化而裁之存乎变，推而行之存乎通，变动不居，周流六虚的道理，撰《不居集》上下集五十卷。上集三十卷，论治内损，下集二十卷，论治外损，不但将古人治虚劳心得加以整理，并且把自己的临床经验也结合进去。所以在此书的各门中，大都有论、有注、有新增、有补遗、有新方、有治法，其内容非常丰富，可称集虚劳病之大成的专著。

⑩萧慎斋《女科经论》：指萧埙《女科经论》。萧埙，字赓六，号慎斋。槜李（今浙江嘉兴）人。清代医家。长于治虚损、痨瘵等内科杂症。《女科经纶》八卷，是其《医学经纶》中的一部分，于妇科证治颇多阐发，其治重在调经。谓：妇女病四诊难尽，而妇女之病，莫重于月经、胎产、崩淋、带下等症。凡因病而经不调者，病祛则经自调；先经不调而后病者，调其经则病自愈。其论为妇科医家所推崇。

⑪沈尧峰《女科辑要》：沈又彭，字尧封、尧峰，嘉善（今属浙江）人。清代医家。医德高尚。辑有《女科读》二卷，后经徐正杰补注，名《沈氏女科辑要》，是一部中医妇产科临床实用性专著。书中主要介绍女科经、带、胎、产以及妊娠、产后杂病的证治与方药运用，且理论联系实际，注重临床实践，较切于临床应用。

⑫程凤雏《慈幼筏》：程云鹏（1585-约1670年），字凤雏，号香梦书生，安徽歙县人。明末清初医家。行医二十余年，著述甚富，有《灵素微言》《伤寒答问》《慈幼筏》等七种。《慈幼筏》十二卷，别名《慈幼秘书》《慈幼新书》。主采瞿良《类编释意》及《吴氏痘科秘书》，并集其祖藏秘方，凡胎产痘疹、惊寒热，兼及耳目喉齿以及疮疖疥癣，

养生三要

读经典 学养生

YANG
SHENG
SAN
YAO

医师箴言

广博精微，靡不涉猎，使后之习儿科者获益颇多。

⑬叶大椿《痘学真传》：叶大椿，字子容，号怀古，
吴县（今江苏苏州）人。清医家，名医叶天士之
侄。《痘学真传》八卷，卷一论痘疹病机及诊法；
卷二为顺、逆、险三类痘病各十八朝的证治图解，
共 54 图，俾读者临证时有借鉴和遵循；卷三兼证
辨治；卷四作者医案；卷五选录古人医案，共 23
家；卷六选录古人痘疹论述，共 108 家；卷七方释；
卷八药释。虽专于痘学，而理论则本诸大方脉（内
科）。尝言"治痘者必急治其兼症"。其治痘以
调摄为最，药石次之。于辨证、议药皆颇详备。
本书附"疹论、痧赋"，以辨疹、痧、痘之别。
全书图文并茂，论述痘疹的证治全面而系统。

⑭顾澄江《疡医大全》：顾世澄，字练江，号静斋，
清代芜湖（今属安徽）人。清外科学家。他继承
家学，业医四十余年，闻名于时，尤以治疡科著
称。他竭力搜集古今医方论，首先按《内经》精神，
阐明脉法，详尽分辨经络穴道，汇集内景证形，
上自巅顶，下至涌泉，凡涉及外证的，都绘图立
说，按证立法，如汤火刀伤、弄杖跌扑、兽伤虫咬、
麻风、小儿痘疹、中毒急救及外科手术等皆有详
论。除今古成方之外，又增以他家祖传经验诸方，
分门别类，先后 30 年，编写成《疡医大全》四十卷。
此书为个人外科学撰述中之巨著，注重理论联系
实际，用方广泛实用，对外科学发展有较大影响。

本草之书，刘若金《本草述》、卢子繇《本
草乘雅半偈》、倪纯宇《本草汇言》、张隐庵《本
草崇原》①、张潞玉《时经逢原》②、邹润庵《本

经疏注》③、赵恕轩《本草纲目拾遗》，罔④不领异标新，足资玩索。

注

①张隐庵《本草崇原》：张志聪（约1619—1674年），字隐庵，浙江杭州人。清著名医学家。师事名医张卿子，学医行医数十年，穷研医理，医术高明，医学博洽。于《内经》《伤寒论》《神农本草经》颇有心得。著《黄帝内经素问集注》《灵枢经集注》《伤寒论宗印》《金匮要略注》《侣山堂类辨》《本草崇原》等行于世，晚年又著《伤寒论纲目》九卷，复集《伤寒论》各家注而为《伤寒论集注》，书未成而卒，由门人续撰为六卷。《本草崇原》，三卷，张志聪殁而书未成，后由弟子高世栻续成。本书以五运六气学说注释《神农本草经》，共收录药物约三百种，仍《本经》旧制，将药物分为上、中、下三品，每药先录《本经》（或其他古籍）原文，然后加以注释，高氏在编辑时亦增加了某些注文，有探讨药性理论之意。从药物性味、生成、阴阳五行属性、形色等入手，结合主治疾病之机理，阐明功效，对徐大椿、陈修园等影响颇大。

②张璐玉《时经逢原》：指张璐《本经逢原》。张璐玉，张璐，号石顽。《本经逢原》，药物学著作。以《本经》为基础，参考《本草纲目》的分类方法，将常用的七百余种药物列为32部，分成四卷，不以考订为重，亦不是照《本经》而宣科，事实上并未全录《本经》之药，而是以临床实用为主，经过反复斟酌，更多择取了与临床密切相关的切于实用的药物，且杂引各家之说及附方，论述中

颇多个人见解与经验心得。本书是张璐在79岁高龄时所作，可以说是他六十余年行医的经验之谈。
③邹润庵《本经疏注》：即邹澍之《本经疏证》。
④罔：无，没有。

医案之书，魏玉横之博大《续名医类案》、俞东扶之精深《古今医案按》①、顾晓园之灵巧《吴门治验录》②，并堪垂范来世。

注

①俞东扶：俞震（1709-1799年），字东扶，号惺斋，浙江嘉善人。清医学家、诗人。从金钩习医，得其秘奥，遂为乾隆间著名医学家。与同邑沈又彭友善。有《古今医案按》十卷、《古今经验方按》。《古今医案按》：此书为俞震与沈又彭共探临证治法，浏览古今医案，析其同异，概其要略而成。此书选案精严，按语重论析，每多点睛笔法。
②顾晓园：顾金寿，字晓澜，号雉皋逸叟，江苏如皋人。清医家。寓居今苏州十余年，临证多效，颇有医名。《吴门治验录》：为顾金寿弟子录其医案、验方辑成，四卷。本书所收医案以内科杂病为主。特点有三，其一：每案记载从发病至病愈的全过程；其二：治法比较灵活，能随证而变；其三：案末以问难形式，详析病因、病理和方治。

辨证之书，徐灵胎之《医贯砭》①，孔以立之《医门普度》②，刘松峰之《温疫论类编》③、姚颐真之《景岳全书发挥》（坊贾假托叶天士，其实乃姚所撰也），均可觉迷振聩。

131

①徐灵胎：徐大椿（1693-1771年），原名大业，字灵胎，晚号洄溪老人。江苏吴江松陵镇人。清著名医学家。精勤于学，平生著述甚丰，皆其所评论阐发，如《医学源流论》《医贯砭》《兰台轨范》《慎疾刍言》等，均能一扫成见，另树一帜，实中医史上千百年独见之医学评论大家。其《难经经释》《医学源流论》《神农本草经百种录》《医贯砭》《兰台轨范》《伤寒类方》均被后学奉为金科玉律。《医贯砭》：医论著作。本书是徐大椿对赵献可《医贯》一书所作的书评，采用引录或节录原文，逐段加批的形式，对该书重用温补和忌用攻下的理论、治则提出了截然不同的见解。作者指出当时医界中或有拘泥于一、二温补成方治病之弊，力主辨证论治，颇具一定影响，但他对赵氏学说持全面否定的态度，亦失之于片面和武断。

②孔以立：字毓礼，江西新城（今江西黎川）人。清医家。擅治瘟病。以瘟疫而外，惟痢疾最险恶，提出治法应兼顾内外，不拘成方成法，每独出心裁。辑有《痢疾论》四卷。《医门普度》：六卷。撰者不详。刊于清道光十二年。本书编录了吴又可《温疫论》二卷、孔毓礼《痢疾论》四卷，并收录刘宏璧等诸家言论治案。

③《温疫论类编》：温病著作，五卷。清刘奎评释。刘奎于温疫专著中推崇《温疫论》，"但嫌其次乱序，前后倒置，不便观览。且行文详略未能合宜，字句多所疵颣"，遂命其子刘秉锦将《温疫论》予以分类，析为诸论、统治、杂症、撮要、正误共五卷。刘奎结合个人学术经验详予评释，

养生三要

读经典 学养生

YANG
SHENG
SAN
YAO

医师箴言

并对类分后的《温疫论》原著按照己意予以增删，于某些深有体会处则给予补充和发明。

　　单方之书，毛达可之《济世养生集》[1]《便易经验集》[2]，亦为医门珍笈[3]。其余著述如林，尚难悉数。有志于学者，诵习古书，而又研究诸家，弃驳取纯，融会而贯通之，何患道之不明不行耶。（《冷庐医话》）

注

[1] 毛达可：毛世洪（约1712-1719年），字达可，又字枫山，武林（今浙江杭州）人，清医家。《济世养生集》：医方著作。又名《济世养生集医方》。本书集录毛氏长期临床实践中试用有效方剂50首，予以简要介绍，可资临证参考，有的方剂后附以作者治验。

[2] 《便易经验集》：医方著作。一卷。本书集录毛氏试用有效单方，分为头面、眼目、耳鼻、喉口、胸膈、四肢、下部、二便、妇女、小儿、疮毒、癣疥、伤科以及中毒、奇病等19类。每类皆先述病证，然后选录方药，并多附以作者治愈的例证。

[3] 笈（jí）：书籍，典籍。

外治法之专书

养生三要
读经典 学养生

YANG
SHENG
SAN
YAO

医师箴言

　　吴县潘霨[1]曰，天地一气[2]之所鼓荡[3]也；人身一气之所周流也。天地之气不顺，变为灾祲[4]；人身之气不和，酿成疾病。由是汤液之法主治内，敷贴之方主治外。内外分科，而治法亦判而为二矣。

注

①潘霨（wèi）：字伟如，号韨园居士，江苏吴县（今江苏苏州）人。官至贵州巡抚。精于医，用药精审，亦精养生术，于导引、内功皆有研究。辑有《女科要略》，著有《内功图说》（又名《内功图编》）、《霍乱吐泻方论》《卫生要术》（一作《易筋经八段锦合刻》），又增辑刊行徐大椿《古方集解》、陈修园《医学易通》及《灵芝益寿草》两种（即徐大椿《慎疾刍言》、陆懋修《世补斋不谢方》）。
②一气：指混浊之气，古代认为是构成天地万物之本原。
③荡：摇动，摆动。
④灾祲（jìn）：灾异。祲，不祥之气。

　　钱唐吴君尚先[1]，著有《理瀹骈文》[2]，创用膏药，并治内外诸症。其法有五：审阴阳、察时行、求病机、度病情、辨病形，各有主膏，亦各有糁药[3]。其脏腑之寒热相移者，则究其本始而治之。其病之兼脏腑者，则又分脏腑而治之。

注

①吴君尚先：吴师机（1806-1886年），原名樽，又名安业，字师机、杖仙，钱塘（今浙江杭州）人。清代医家。官至内阁中书。创设多种外治法，尤以按穴道辨证施用膏药薄贴见长。兼擅敷、熨、熏、浸、刮痧、火罐等十几种外治法。

②《理瀹（yuè）骈文》：初名叫《外治医说》。是吴氏集前贤有关外治论述，采摭民间外治法及己所历验撰成，为著名外治法专著。书中分论诸病外治之法，书末附常用膏方配制，以其简、便、验、廉而深受民间欢迎。

③糁（sǎn）药：撒在膏药上面的细药面。

至妇女之经期、胎产、乳岩①等症，莫不本仲景经文，为用膏药之大法，益附膏方二十有一，糁药方二十有七，尝行之于江北，治效岁以万计。

注

①乳岩：指乳房上长有痈疽，牢固有根而硬如石，是一种乳腺肿瘤。

余自客岁①旋里养疴，僦居②溧川③，兼施医案，并宗其敷贴之法，而济以针刺，俾④郁结之气宣，膏药之气尤易渗入，治病颇有奇效。大抵病之由外自内，流行于经络脏腑者，固非

养生三要

读经典 学养生

YANG
SHENG
SAN
YAO

医师箴言

一膏一药所能治。

注

①客岁：去年。
②僦（jiù）居：租屋而居。
③潢川：河南潢川。
④俾：使。

若初感时邪，或为六气①所侵，或为七情所郁，气凝血滞，及有形状可按者，以膏药按上中下三焦要穴贴之，闭其外邪从入之途，而后或提或散，或清或温，糁之以药，则通经活络之方，视汤液尤为得力。

注

①六气：此处指六淫，即风、寒、暑、湿、燥、火六种气在身体内外的太过与不及，导致身体发病。

盖其外治之法，实与内治并行，并可以内治之法，移为外治。不待切脉，不烦饮药，而自可奏功。且以膏药治病，用之而效，固有奇功，偶或不效，亦无大害。较之孟浪用药，一误而不可救者，其存心之仁与不仁，岂可同日语哉！

辨书

养生三要 读经典学养生

YANG
SHENG
SAN
YAO

医师箴言

褚澄①曰：由汉而上，有说无方；由汉而下，有方无说。说不乖理，方不违义，虽出后学，亦是良师。固知君子之言，不求贫朽②，然于武成之策，亦取二三③。

注

①褚澄：字彦道，阳翟（今河南禹州）人。南朝宋、齐间贵官。医术高明。褚氏著有《杂药方》二十卷，今佚。现存《褚氏遗书》一卷，系唐代人整理而成。

②君子之言，不求贫朽：出自《礼记·檀弓上》。有子问于曾子曰："问丧于夫子乎？"曰："闻之矣：'丧欲速贫，死欲速朽。'"有子曰："是非君子之言也。""死之欲速朽，为桓司马言之也。……丧之欲速贫，为敬叔言之也。"这段记载指出，孔子说的"丧欲速贫，死欲速朽"这两句话是有具体的时间、地点和具体背景，不能曲解原意。本段引用这个典故，是为了说明中医学的著作是在一定历史背景下产生的，要具体内容具体分析，不能生搬硬套，更不能曲解。

③武成之策，亦取二三：《孟子·尽心篇》中有"尽信《书》，不如无《书》。吾于《武成》，取二三策而已。"《武成》《尚书》篇早已亡佚。本句指对书上的内容要有所取舍。

曰：居今之世，为古之工，亦有道乎？

曰：师友良医，因言而识变；观省旧典，

137

养生三要 读经典 学养生

YANG
SHENG
SAN
YAO

医师箴言

假筌^①以求鱼。博涉知病，多诊识脉，屡用达药，则何愧于古人！

注

①筌：捕鱼的竹器。

读书要有识力

为医者非博极群书不可。第^①有学不识，虽博不知反约^②，则书不为我用，我反为书所缚矣。泥古者愚，其与不学无术者，相去几何哉！故柯氏有读书无眼，遂致病人无命之叹。

注

①第：但是。
②约：简单、简要。

夫人非书不通，犹人非饭不活也。然食而化，虽少吃亦长精神；食而不化，虽多吃徒增疾病。所以读书要识力，始能有用^①；吃饭要健运，始能有益。（王孟英）

注

①所以读书要识力，始能有用：识力，识别事物的能力。学习中医需要博览群书，但有学无识同样

不可以治病，重要的是结合临床实践，把别人的理论经验转化成自己的心得体会。

六不治

扁鹊曰，病有六不治：骄恣不论于理，一不治也；轻身重财，二不治也；衣食不能适，三不治也；阴阳并藏气不定①，四不治也；形羸②不能服药，五不治也；信巫③不信医，六不治也。（《史记》）

注

①阴阳并藏气不定：藏，这里通"脏"。阴阳错乱，五脏功能紊乱。
②羸（léi）：瘦弱。
③信巫不信医：巫，古代所谓能降神与鬼神相通，为人祈祷、消灾、驱邪、治病的人。在男曰觋，在女曰巫。贪心大的巫，往往骗人钱财，误人性命。故扁鹊力戒"信巫不信医"。疾病治疗的成败与病人对医生的信任与否有着重要的关系。

除疾

除疾之道，极其候证，询其嗜好，察致疾之由来，观时人之所患，则穷①其病之始终矣。穷其病矣，外病疗内，上病救下；辨病藏之虚实，

养生三要　读经典学养生

YANG
SHENG
SAN
YAO

医师箴言

养生三要

读经典 学养生

YANG
SHENG
SAN
YAO

医师箴言

通病藏之母子^②，相其老壮，酌其浅深，以制其剂而十全，上功至矣。

注

①穷：穷尽、彻底（追究）。

②病藏之母子：患病脏腑的母子关系。中医学用五行配属五脏，用五行相生的母子关系，说明五脏之间的母子关系。如，肾在五行属水，肝在五行属木，水生木，水为木之母，木为水之子，则肾为肝之母，肝为肾之子。母脏有病，容易传给子脏，称为"母病及子"，反之，也有"子病及母"。

制剂独味为上，二味次之，多品为下。酸通骨，甘解毒，苦去热，咸导下，辛发滞。当验之药，未验切戒亟^①投。大势既去，余势不宜再药。修而肥者饮剂丰，羸而弱者受药减。用药如用兵，用医如用将^②。

注

①亟（jí）：急迫地。

②用药如用兵，用医如用将：病邪好比是敌人，药物好比是士兵，治病如同打仗。高明的医生要善于调兵遣将，明智的病人要善于为自己选择医生。

善用兵者，徒有车之功；善用药者，姜有桂之效^①。知其才智，以军付之，用将之道也；知其方伎^②，以生付之，用医之道也。世无难治之疾，有不善治之医；药无难代之品，有不善代之人。民中绝命，断可识矣。

养生三要 读经典学养生

YANG
SHENG
SAN
YAO

医师箴言

注

①姜有桂之效：姜，干姜。桂，肉桂。干姜、肉桂
　性味均辛热，都能温中散寒止痛。肉桂味辛甘而
　大热，散寒止痛之力比干姜更强。
②方伎：同"方技"。古代对占卜、医术、星相之
　类的总称。

审微

　　疾有误凉而得冷证，有似是而实非。差之
毫厘，损其寿命①。《浮栗经·二气篇》②曰，
诸泻皆为热，诸冷皆为积。热则先凉脏，冷则
先温血。《腹疾篇》曰，干痛③有时当为虫，
产余刺痛皆变肿。

注

①差之毫厘，损其寿命：在疾病的治疗中，有一毫
　一厘的差错，就会危及人的生命。
②《浮栗经·二气篇》：书名未见。《二气篇》，
　以及以下的《腹疾篇》《伤寒篇》应当均为本书
　中的篇章。
③干痛：单纯腹痛。

　　《伤寒篇》曰，伤风时疫，湿暑宿①痰，
作疟作疹，俱类伤寒。时人多疟，宜防为疟。

养生三要

读经典 学养生

YANG
SHENG
SAN
YAO

医师箴言

时人多疹，宜防作疹。春温②夏疫③，内证先出。中湿中暑，诚以苓术投之，发散剂。吐、汗、下俱至，此证号宿痰，失导必肢废。

注

①宿：旧有的，一向有的。
②春温：病名，见《瘟疫论》，伏气温病的一种。指冬受寒邪，伏而至春季所发的急性热病。大多初起即以里热为主，内热较重，或有显著化燥灼阴的气分或血分征象。症见脉细数或沉数而燥，苔厚腻，或舌赤无苔，溺赤，口渴，发热等。治疗以清里热为主，又当密切顾及津液。
③夏疫：与春温同属伏气温病。

　　嗟乎①，病有微而杀人，势有重而易治。精微区别，天下之良工哉②。（以上《褚氏遗书》）

注

①嗟乎：叹息声。
②精微区别，天下之良工哉：本篇以寒证、热证、腹痛、流行病等为例，倡导医生在疾病的治疗中，要审查疾病的细微区别。

八要宜审

　　治病有八要。八要不审，病不能去。医无可去^①之术，非病不去也。故须辨审八要，庶不有误。

注

①去：去除。

　　其一曰虚，五虚^①是也。脉细，皮寒气少，泄泻前后，饮食不进，此为五虚；

　　二曰实，五实^②是也。脉盛，皮热，腹胀，前后不通，闷瞀^③，此五实也；

　　三曰冷，脏腑受其积冷，是也；

　　四曰热，脏腑受其积热，是也；

　　五曰邪，非脏腑正病也；

　　六曰正，非外邪所中也；

　　七曰内病不在外也；

　　八曰外病不在内也。

　　审此八要，参以脉候病机，乃不至于有误^④。（《法律》^⑤）

注

①五虚：见《素问·玉机真藏论》。指病程中出现"脉细，皮寒，气少，泄利前后（大小便滑泄），

养生三要

读经典 学养生

YANG
SHENG
SAN
YAO

医师箴言

143

养生三要
读经典 学养生

YANG
SHENG
SAN
YAO

医师箴言

饮食不入"等五脏俱虚的危重证候。五虚并见，反映五脏功能严重衰退，预后不良，急当培补元阳，维护胃气，如经治疗后饮食能进，泻利能止，乃元阳、胃气已恢复，是病情趋向好转的标志。

②五实：五脏俱受实热闭阻的综合证候。如，脉洪盛是心受邪，皮肤灼热是肺受邪，腹满胀是脾受邪，二便不通是肾受邪，昏闷而目不明肝受邪等。如经治疗后汗出，二便通利，是病情趋向好转的标志。

③瞀（mào）：目眩，心绪纷乱、愚昧。

④审此八要，参以脉候病机，乃不至于有误：医生看病审查寒热、正邪、虚实、内外这八个主要方面时，再参考脉象、症候、病机，就不至于诊病时发生错误了。

⑤《法律》：指《医门法律》。明末清初著名医学家喻昌所撰，全书六卷，撰于顺治十五年。该书为综合性医书，作者通过发明伤寒蕴义，又取风、寒、暑、湿、燥、火六气及诸杂证分门别类，结合临床病证，阐述论治法则和方药。

用药有君臣佐使

《柏斋三书》①云，药之治病，各有所主。主治者，君也；辅治者，臣也；与君相反而相助者，佐也；引经及引治病之药②，至于病所者，使也。

注

①《柏斋三书》：明何瑭撰。三卷。是书一为《阴阳管见》，一为《乐律官见》，一为《儒学管见》，大都好为异说以自高。何瑭（1474–1543年），字粹夫，号柏斋，怀庆府武陟县（今属河南）人，明学者。好养生术，著有《医学官见》。其说主张大攻大补，非中和之道。

②引经药：某些中药对某些脏腑、经络的病症能选择性起到主导治疗作用，能引导药物归于经脉，或者引导药物到达病所。

如治寒病用热药，则热药君①也；凡温热之药，皆辅君者也，臣②也；然或热药之过甚，而有害也，须少用寒凉药以监制之，使热药不至为害，此则所谓佐③也；至于五脏六腑，及病之所在，各须引导之药，使药与病相遇，此则所谓使④也，余病推此。

注

①君：中医方剂的组成原则，分为"君、臣、佐、使"

145

读经典 学养生

养生三要

YANG
SHENG
SAN
YAO

医师箴言

四个部分。"君臣佐使"的使用充分体现了《除疾》篇"用药如兵"的原则。君药是起主要治疗作用的药物。

②臣：臣药是协助君药更好地发挥作用的药物。

③佐：佐药是消除某些药物的毒性和烈性，或协同君臣药发挥治疗作用。

④使：使药是能直达发病部位的药物，即所谓引经药或起调和作用的药物。

按：柏斋此论，乃用药之权①，最为精切。旧谓一君、二臣、三佐、四使，为定法，此未可泥。《药性论》又以众药之和厚者定为君，其次为臣为佐，有毒者多为使，此说殊谬。设若削坚破积，大黄、巴豆辈，岂得不为君乎！（喻嘉言）

注

①权：秤锤，喻权衡的标准。

古方可为楷模

大抵古人名方之可为楷模者，其用心为最苦①。盖用药如用兵，制方如庙算②，必非信手拈撮③，抚剑疾视，以敌一人④。多算胜，少算不胜，而况于无算乎！

养生三要

读经典 学养生

YANG
SHENG
SAN
YAO

医师箴言

注

① 大抵古人名方之可为楷模者，其用心为最苦：古代处方之所以成为"经方"，就在于它的科学配方，经过古人千锤百炼的实践经验发展而来，凝聚了历代医家的心血。
② 庙算：即指战役之前的战略筹划，是我国古代最早的战略概念。
③ 拈撮：拈，用手指捏取；撮，捏取，摘取。
④ 抚剑疾视，以敌一人：语出《孟子·梁惠王下》，"夫抚剑疾视，曰：'彼恶敢当我哉！'此匹夫之勇，敌一人者也。"形容匹夫之勇，只能以敌一人。

宜只就本方对所治本证而细按之，思其何以用某药，何以不用某药，何以重用某药，何以补泄兼施，何以辛酸并用，何以寒热并行。明其所以然而思过半，则战胜于庙堂之道也。（汪双池①）

注

① 汪双池：汪绂（1692-1759年），一名烜，字灿人，

养生三要

读经典 学养生

YANG
SHENG
SAN
YAO

医师箴言

号双池、重生。婺源（今属江西）人。清文学家、医学家。撰有《四书诠义》《易经诠义》等书，又有《医林纂要探源》十卷（又作《医林辑略探源》），分论五行生克及脏腑经络部位、脉象、药性、方剂等。

古方权量

古方自《灵》《素》至《千金》《外台》，所集汉、晋、宋、齐诸名方，凡云一两者，以今之七分六厘准①之；凡云一升者，以今之六勺②七杪③准之。

注

①准：标准、准则。

②勺：容量单位，十撮等于一勺，十勺等于一合。意在强调，古方中的用药量要因时而变。

③杪（mǎo）：同"杪"，古代容量单位。《隋书·律历志上》引《孙子算经》："六粟为圭，十圭为杪，十杪为撮，十撮为勺，十勺为合。"按，今本《孙子算经》作"十圭为一撮，十撮为一杪"。

古书有方药等分者，不可误认为一样分量

尝读古方，每有药味之下，不注分两，而于末一味下，注各等分①者，今人误认为一样分两，余窃②不能无疑焉③。

①各等分：并不单指一样分量，强调各有各的分量的含义，提倡医生要根据临床实际需要，准确选择用量。
②窃：谦指自己(意见)。
③焉：兼词，相当于介词"于"加上代词"是"的含义。

夫一方之中，必有君臣佐使，相为配合，况药味有厚薄，药质有轻重，若分两相同，吾恐驾驭无权，难于合辙①也。即如地黄饮子②之熟地③、菖蒲④，分量可等同乎？天真丹⑤之杜仲⑥、牵牛⑦，分量可等同乎？诸如此类，不一而足，岂可以各等分为一样分两哉。

①合辙：车轮与车的轨迹相合。比喻彼此思想言行相一致，合拍。
②地黄饮子：药方名。主治心胃虚热，呕吐不能进食，食则烦闷。方中以干地黄为主，用清水微煎为饮服，

读经典 学养生

养生三要

YANG
SHENG
SAN
YAO

医师箴言

取其轻清之气，易为升降，迅达经络，流在四肢百骸，以交阴阳，故名"地黄饮子"。

③熟地：又名熟地黄或伏地，地黄的块根经加工炮制而成，具有补血滋阴功效，在本方中为主要药物，用量亦应最大。

④菖蒲：功能通窍除痰，醒神健脑，去湿开胃。主治神昏癫痫，健忘耳聋，脘痞满闷不饥，噤口下痢。

⑤天真丹：药方名。主治下焦阳虚。

⑥杜仲：药用部位是树皮，在本方中为主药，用量宜大。具补肝肾、强筋骨、降血压、安胎等诸多功效。

⑦牵牛：药用部位是种子，在本方中属辅助药，用量应小。具有泻下、利尿、消肿、驱虫等功效，主治肢体水肿、肾炎水肿、肝硬化腹水、便秘、虫积腹痛等症。

　　或曰，子言是矣。然则古人之不为注定，而云各等分者何谓耶？愚曰，各者，各别也。古人云，用药如用兵，药有各品，犹之将佐偏裨，各司厥职①也。等者，类也，分类得宜。如节制之师，不致越伍而哗也。分者，大小不等，各有名分也。

注

①各司厥职：各司其职。

　　惟以等字与上各字连读，其为各样分两，意自显然。今以"等"字与下"分"字连读，则有似乎"一样分两"耳。千里之错，失于毫厘，

类如是耳。窥先哲之不以分两明示后人者，盖欲令人活泼泼地，临证权衡，毋胶柱而鼓瑟①也。（朱应皆②）

注

①胶柱而鼓瑟：用胶把柱粘住以后奏琴，柱不能移动，就无法调弦。比喻固执拘泥，不知变通。
②朱应皆：朱升恒，字皆应，号玉田，江苏吴县人。清医生。撰《木郁达之论》《颐毒颐字辨》《方药等分解》等文，其论存于《吴医汇讲》中。

煎药用水歌

急流性速堪①通便，宣吐回澜水（即逆流水）最宜。

百沸气腾能取汗，甘澜劳水意同之。（流水，勺扬万遍，名甘澜水，又名劳水）。

注

①堪：可以，能。

黄齑水①吐痰和食，霍乱阴阳水②可医。

新汲无根皆取井（将旦首汲，曰井华水；无时首汲，曰新汲水；出甃③未放，曰无根水），除烦去热补阴施。

注

①黄斋水：斋水。味酸咸，性凉。能吐痰饮宿食，妇人食之多绝产。本篇记载的多种古人煎药所用水，并不都适合现代人。煎药一般用质地清洁透明、味道纯正的自来水、泉水、纯净水等即可。

②阴阳水：常年曝晒在阳光下的水，属于阳水；未煮过的井水，地下泉水，处在阴的地方，属于阴水。中医学认为，"阴阳水"可调理中焦脾胃，帮助人体消化食物，治疗腹胀。

③甃（zhòu）：砖砌的井壁。

地浆解毒兼清暑（掘墙阴黄土，以水入坎中，搅取浆澄清用），腊雪寒冰治疫①奇。

更有一般蒸汗水（如蒸酒法蒸水，以管接取，倒汗用之），奇功千古少人知。

注

①疫：指时疫，是具有强烈传染性，并可引起流行的一类疾病，大多来势迅猛，病情严重。

功堪汗吐何须说，滋水清金理更微。（肺热而肾涸，清金则津液下泽，此气化为水，天气下为雨也。肾涸而肺热，滋阴则津液上升，此水化为气，地气上为云也。蒸水使水化为气，气复化水，有循环相生之妙，用之最精）。（《医砭》①）

注

①《医砭》：清徐大椿所撰医论著作《慎疾刍言》经张鸿补辑，改名《医砭》。

大医口不言钱

进士王日休①云：吾乡张彦明善医，僧道贫士，军兵官员，及凡贫者求医，皆不受钱，或反以钱米与之。人若来召，虽至贫亦去。富者以钱求药，不问钱多寡，必多与药，期于必效。未尝萌再携钱来求药之心。病若危笃，知不可救，亦多与好药以慰其心，终不肯受钱。予与处甚久，详知其人为医，而口终不言钱，可谓医人中第一等人矣。

注

①王日休：字虚中，庐州（今安徽合肥）人。撰有《伤寒补遗》，今未见存世，张璐《伤寒缵论》《伤寒绪论》中每节取其说。

一日城中火灾，周回爇①尽，烟焰中独存其居。一岁牛灾尤甚，而其庄上独全。此神明佑助之明效也。其子读书后，乃遇魁荐。孙有二三，庞厚俊爽，亦天道福善之信然也。使其孜孜以钱物为心，失此数者，所得不足以偿所失矣②。同门之人，可不鉴哉。（《名医

读经典 学养生

养生三要

YANG
SHENG
SAN
YAO

医师箴言

类案》③）

注

① 爇（ruò）：烧。

② 使其孜孜以钱物为心，失此数者，所得不足以偿所失矣：孜孜，勤勉的样子。医乃仁术、医生不必为名利所累，医不爱钱，其德可崇。

③ 《名医类案》：中国最早的按病证汇编的中医医案著作。明代江瓘撰。选录上自扁鹊、淳于意，下迄嘉靖年间经、史、子、集所载历代名医验案及家藏秘验，惜未及刊行而殁。江瓘之子应元、应宿加以补遗并附江氏父子医案于其中。此书搜集医案五千余例，按内、妇、儿、外、五官科顺序分为205门证候，以证名为目，便于检阅。所载病案多有姓名、性别、年龄、证候、诊断、方药等项，资料较为完整。不少医案后有编者按语，提示本案关键所在，便于后代学者提挈要领。

医师先当识药、尝药、制药，凡恶毒之药不可轻用

恶毒之药，不宜轻用①。昔神农遍尝诸药，而成《本草》，故能深知其性。今之医者，于不常用之药，亦宜细辨其气味，方不至于误用。若耳闻有此药，并未一尝，又不细审古人用法，而辄以大剂灌之，病者服之，苦楚万状，并有因此而死者，而己亦茫然不知其何故。若能每

味亲尝，断不敢冒昧试人矣。（徐洄溪②）

注

①恶毒之药，不宜轻用：有大毒剧毒的药，不必轻
　易使用。
②徐洄溪：即徐大椿（1693-1771年），原名大业，
　字灵胎，晚号洄溪老人。江苏吴江松陵镇人。
　性通敏，喜豪辨。自《周易》《道德》《阴符》
　家言，以及天文、地理、音律、技击等无不通晓，
　尤精于医。初以诸生贡太学。后弃去，往来吴淞、
　震泽，专以医活人。徐氏著书颇多，有《医学源
　流论》《医贯砭》《兰台轨范》《难经经释》《神
　农本草经百种录》《伤寒类方》等。

　　凡为医师，先当识药①。药之所产，方隅②
不同，则精粗顿异。收采不时，则力用全乖。
又或市肆饰伪，足以混真。苟非确认形质，精
尝气味，鲜有不为其误者。譬诸将不知兵，立
功何自！医之于药，亦犹是耳。

注

①凡为医师，先当识药：作为医生，不但要懂药性
　理论，最好能识得一部分常用药物。
②方隅：方，方向；隅，角落。

　　既识药矣，宜习修事①。《雷公炮炙》②，
固为大法，或有未尽，可以意通。必期躬亲，
勿图苟且。譬诸饮食，烹调失度，尚不益人，

155

反能增害。何况药物关乎躯命者也，可不慎诸？
（《本草经疏》）

注

①既识药矣，宜习修事：古时医药不分家，医生不但识药采药，还亲自炮炙药物。

②《雷公炮炙》：指《雷公炮炙论》，南北朝刘宋时期雷敩撰，总结了南北朝以前历代炮、炙、炒、煅、曝、露、煨、炼、飞、度、煞、镑、制、伏等十七种炮制方法与经验，是我国最早的中药炮制学专著。书中称制药为修事、修治、修合等。原载药物约三百种，每药先述药材性状及与易混品种区别要点，辨别真伪优劣，也是中药鉴定学的重要文献。

制器储药

养生三要 读经典学养生

YANG
SHENG
SAN
YAO

医师箴言

凡医药应用之器具，俱要精备齐整，不得临时缺少。至于选买药品，必遵雷公炮制，或依方修合，或随症加减。汤散取办于临时，丸丹预制于平日。膏药愈久愈灵，线药越陈越好。药不吝①珍，施必获效。（陈实功②）

注

①吝：吝啬。

②陈实功：（1555－1636年）字毓仁，号若虚，江苏东海（今江苏南通）人。明外科学家。从事外科四十余载，治愈了不少疑难杂症，积累了丰富的治病经验与理论知识。强调外科者须有内科学基础和经史知识，一改外科医师只知刀针之术的风气，并就外科诸证分门别类，统以论，系以歌，论治精详，又附录生平已效医案，成《外科正宗》四卷，以"列症最详，论治最精"见称，备受后世推崇。

藏药

凡药皆不欲数数晒曝①。多见风日，气力即薄歇，宜熟知之。诸药未即用者，俟②天大晴时，于烈日中曝令大干，以新瓦器贮之。泥头密封，须用开取，即急封之。勿令中风湿之气，虽经年③亦如新也。

读经典 学养生

养生三要

YANG
SHENG
SAN
YAO

医师箴言

注

① 凡药皆不欲数数晒曝：数数，屡次。曝，晒。中
　药也是有保质期的，如果风吹日晒多了，药物的
　药力会大减。
② 俟：等待。
③ 经年：经过一年或多年。

其丸散以瓷器贮，蜜蜡封之，勿令泄气，
则三十年不坏。诸杏仁及子等药，瓦器贮之，
则鼠不能进之也。凡贮药法，皆须去①地三四尺，
则土湿之气不中也。（《千金》）

注

① 去：相距，距离。

看疑难病宜静坐思之

看病认不真切，则静坐思之。总于望闻问
切四者中，搜求病机，必有得心之处。胸中了
了①，用药方灵。若终于疑惑，而勉强投方，
窃恐误人性命也。（《石芝医话》②）

注

① 了了：明白，懂得。在看病时，遇到认识不清楚
　的疑难病证，医生要静下心来，细细体会、观察，
　诊断得清楚，用药才灵验。
② 《石芝医话》：清孙从添著。节录入《吴医汇讲》。

看病须细心审视

　　医家临诊辨症，最要凝神定气①。如曾世荣②于船中治王千户子，头疼额赤，诸治不效，动即大哭。细审，知为船篷小篾③，刺入囟④上皮内，镊去即愈。苟不细心审视，而率意妄治，吾恐医者道少，病者人费矣。（《重庆堂随笔》⑤）

养生三要　读经典　学养生

YANG
SHENG
SAN
YAO

医师箴言

注

①医家临诊辨症，最要凝神定气：医生在临床诊断，辨别病症时，特别要注意凝神定气，细细审视。

②曾世荣：字德显，号育溪。衡阳（今属湖南）人。元医家。精于儿科，撰有《活幼心书》三卷，《活幼口议》二十卷，论述儿科医理。

③篾：竹子劈成的薄片。

④囟（xìn）：又称"囟门""囟脑门儿""顶门儿"，婴幼儿头顶骨未闭合的地方。

⑤《重庆堂随笔》：医论著作。清王秉衡撰。全书以随笔形式，采录医著有关内容，结合个人临床经验予以阐论和发挥。书本论述六气致病、虚劳病证治、方剂分析、药性、望闻问切等专题，均能用浅近的语言进行分析和论述，切于临床实践，易于为人接受。

看病与文家相题无二

　　医之看病，与文家之相题无二①。病，

题也；脉，题之旨也；药，则词章也；方法，局与势也。善为治者，脉症既详，当思所以救之之法，而随因法以立方，药不过如卑贱之职，惟吾方法驱使耳。

注

①医之看病，与文家之相题无二：相题，观察题目，进行判断。本篇把看病比喻成写作，生动地表明看病需认真思考，逐步确定理法方药。

诊视后始可断定

医到病家，未诊视不可先讲病①。必待望而闻，问而切，脉症详明，始可断定是寒、是热、是实、是虚。病在某经，当于某经用药，某日当瘳②，某日当厄③，庶④药与症对，而不蹈妄投之弊。

注

①医到病家，未诊视不可先讲病：这是对喜欢逞能的医生的忠告，不可不检查就先发言，否则会妄投药物，误人性命。

②瘳：病愈。

③厄：险要的地方。

④庶：庶几，连词，表示在上述情况下，才能避免某种后果或实现某种希望。

医者胸中不可预拟成见

　　医者胸中预拟一成见不得①。虽病者不为自讳②，详告谆谆，亦未可遽③执为真病情、真病本也，且待诊视后参较果否④耳。至若侍奉者之传言，延医者之预达，尤不足凭。

注

①医者胸中预拟一成见不得：本篇提倡医生诊病时，不必受别人甚至病人的主观影响，要依靠望、闻、问、切，用自己的头脑思考后方可做出判断。
②讳：因有所顾忌而不敢说或不愿说。
③遽：匆忙、惊慌。
④果否：果，果然；否，否定，不是。

　　盖学者胸怀空旷，了无执著①，始得应变有方耳。

注

①执著：即"执着"，原为佛教用语，指对某一事物坚持不放，不能超脱，后来泛指固执或拘泥。强调医生不要执着于先见，才能应变有方。

医者到病势危笃之家，宜令其先行煮水

余每到病势危笃之家，未诊视，先令急煮水。诊视竣[1]，水即成汤矣。取药煮之，差[2]可济急。（以上裴兆期[3]）

注

[1] 竣：完毕。

[2] 差：尚。

[3] 裴兆期：裴一中，字兆期，明末医家。撰有《裴子言医》四卷。

凡诊危迫之病，必先与病家讲明，方可下药

凡过[1]危迫之病，欲尽人力挽回，此虽美念，然必须先与病家讲明，方可下药，更必璧彼药资[2]，则服药有效，人自知感；如服药无效，则疑怨难加于我，我亦自心无愧也。（冯楚瞻[3]）

注

[1] 过：访，探望。

[2] 璧彼药资：返还他的药费。璧，璧还。敬词。即退还，返还。

[3] 冯楚瞻：冯兆张，字楚瞻，浙江海盐人。明清间医学家。尤擅治痘症及儿科。广搜民间验方，博

览前贤论著，撰成《痘疹全集》十五卷、《杂症痘疹药性主治合参》十二卷、《杂证大小合参》十四卷，《内经纂要》二卷、《脉诀纂要》一卷、《女科精要》三卷、《外科精要》一卷、《药按》一卷等，暮年合其医书八种为《冯氏锦囊秘录》。

不可妄肆翻案

前医用药未效，后之接手者，多务翻案以求胜之①。久寒则用热，久热则用寒，久泻则用补，久补则用泻，以为取巧出奇之计。然而脉与因故在也，苟据脉审因，确见前医识力未到，自当改弦易辙②，以正其误。若不据脉审因，而妄生歧论，只图求异于人而罔③其利，竟置病人吉凶于度外，其居心不可问矣。（王载韩④）

注

①前医用药未效，后之接手者，多务翻案以求胜之：对于前面医生未能治愈的疾病，后面接手的医生要尊重事实，以病人为重，不必只是谋求与前面医生的不同。

②改弦易辙：改换琴弦，变更行车道路，比喻改变方法或态度。

③罔：欺骗，骗取。

④王载韩：王琦（1696—1774年），字载韩，号琢崖，缚庵，晚号胥山老人，钱塘（今浙江杭州）人，清代著名学者及医家。他费时七年刻成《医林指月》十二种，其中王氏曾对《侣山堂类辨》进行考订

163

读养生
经三
典要

YANG
SHENG
SAN
YAO

医师箴言

注音训义，同时对丛书中各书之作者生平、学术源流等，均有所考究，并附以跋文。

群医共治，只宜随众处方，无过多言

巨室[1]之疾，未必专任一医，多有诸治罔[2]效，下及其余。然须察其势不可为者，缓言以辞之；其生气未艾[3]，可与挽回者，慎勿先看从前之方，议其所用之药，未免妨此碍彼，反多一番顾虑之心矣。

注

[1]巨室：指名望高、势力大的世家大族。
[2]罔：没有。
[3]艾：停止。

当此危疑之际，切须明喻死中求活之理，庶几前后诸医，各无怨尤。且有汇集诸方议治，只宜随众处方，不可特出己见，而为担当。苟非惑其贪饵，得脱且脱[1]。

注

[1]苟非惑其贪饵，得脱且脱：在古代，为避免诋毁同道，避免担当不该担当的责任，医生往往明哲保身，但现在，医生参加会诊时，往往畅所欲言，共同承担责任。

世未有日历数医，而可保全者。于是无稽①之口，随处交传，同人相向，往往论及，虽曰出之无心，安得谓之无过？多言多败，金人②首戒，慎之慎之。（张石顽）

注

①稽：查考。
②金人：铜铸的人象。《孔子家语·观周》："孔子观周，遂入太祖后稷之庙，堂右阶之前，有金人焉。三缄其口而铭其背曰：古之慎言人也。"

食疗治病

孙真人[1]曰：医者先晓病源，知其所犯[2]，以食治之。食疗[3]不愈，然后命药。不特老人小儿相宜，凡娇养及久病厌药，穷乏无财者，皆宜以饮食调治之也。（《入门》[4]）

注

[1] 孙真人：即孙思邈，唐代京兆华原（今陕西耀县）人，是中国乃至世界史上著名的医学家、养生学家、药物学家，被誉为药王。同时还是著名道士，故被称为"孙真人"。少时因病学医，后终成一代大师，博涉经史百家，兼通佛典。医学著作撰有《备急千金要方》（简称《千金要方》《千金方》《千金翼方》）。

[2] 犯：发作、发生。

[3] 食疗：指利用谷肉果蔬等食物性味方面的偏颇特性，有针对性地用于某些病证的治疗或辅助治疗，调整人体阴阳平衡，有助于疾病的治疗和身心的康复。

[4] 《入门》：即《医学入门》。九卷，明代李梴著，万历三年刊行。全书分内外集，自谓"医能知此内外门户，而后可以设法治病，不致循蒙执方，天枉人命"，故题之曰《医学入门》。

名医难

名医身价甚高，轻症不即延治，必病势危

养生三要 读经典学养生

YANG
SHENG
SAN
YAO

医师箴言

笃，医皆束手，然后求之。于是望之甚切，责之甚重，若真能操人生死之权者[1]。

注

[1] 于是望之甚切，责之甚重，若真能操人生死之权者：名医难，难在所治疾病大多是疑难重症。对于名医来讲，一方面，要适当降低身价，让更多的人在发病初期就接受治疗；另一方面，要以诚待人，以治病救人为根本。

如知病之必死，示以死期而辞去，犹可免责；若犹有一线生机，用轻剂以塞责，致病人万无生理，则于心不安，用重剂以背城一战，万一有变，则谤议蜂起。前人误治之责，尽归一人。故名医之治病，较之常医信[1]难也。（徐灵胎）

注

[1] 信：确实。

167

养生三要

读经典 学养生

YANG
SHENG
SAN
YAO

医师箴言

宜诚忌傲

大医之体，欲得澄神内视[1]，望之俨然，宽裕[2]汪汪[3]，不皎不昧，省病诊疾，至意深心，详察形候，纤毫不失。处判针药，无得参差[4]。

注

[1] 澄神内视：纯净思想，自我内省。澄神，澄心，使思想纯净。内视：自我检视。
[2] 宽裕：度量宽宏。
[3] 汪汪：本义为水宽广貌，比喻气度宽广。
[4] 参差：长短、高低、大小不齐；差错。

虽曰病宜速救，要须临事不惑，唯当审谛覃思[1]，不得于性命之上，率尔自逞俊快[2]，邀射名誉[3]，其不仁矣。

注

[1] 审谛覃思：审谛，详审周密。覃思：深思。
[2] 自逞俊快：自己炫耀才华出众。俊，才智出众。快，反应敏捷。
[3] 邀射名誉：贪求猎取名誉。邀射，追求，谋取。

又到病家，纵绮罗满目，勿左右顾盼；丝竹[1]凑耳，无得似有所娱；珍馐[2]叠荐，食如无味，醽醁[3]兼陈，看有若无。

养生 读经典 学养生 三要

YANG
SHENG
SAN
YAO

医师箴言

注

①丝竹：琴、瑟、箫、笛等乐器的总称。丝，指弦乐器；
　竹，指管乐器。
②珍馐：珍奇贵重的食物。
③醽醁（líng lù）：美酒名。

　　所以尔者，夫一人向隅①，满堂不乐，而况病人苦楚不离斯须。而医者安乐欢娱，傲然自得，兹乃人神之所共耻，至人②之所不为，斯实医之本意也。（《千金》）

注

①向隅：面对着屋子的一个角落。比喻非常孤立或得不到机会而失望。
②至人：古时指道德修养达到最高境界的人。

医品

　　为医之法，不得多语调笑，谈谑①喧哗，道说是非，议论人物，炫②耀声名，訾③毁诸医，自矜④己德。偶然治瘥⑤一病，则昂头戴面，而有自许之貌，谓天下无双，此医人之膏肓⑤也。

注

①谑（xuè）：开玩笑。
②炫：夸耀。
③訾：说人坏话。
④自矜：自高自大。
⑤瘥：病愈。

　　老君①曰，人行阳德，人自报之；人行阴恶，鬼神害之②。寻此二途，阴阳报施，岂诬也哉！所以医人不得恃己所长，专心经略财物，但作救苦之心，于冥运道中，自感多福者耳。又不得以彼富贵，处以珍贵之药，令彼难求，自炫功能，谅非忠恕之道。（《千金》）

注

①老君：又称老聃。李耳，字伯阳，楚国苦县曲仁里（今河南鹿邑太清宫镇）人。是我国古代伟大的哲学家和思想家、道家学派创始人。老君是中国道教对老子神化称呼，又称"太上老君"。
②人行阳德，人自报之；人行阴恶，鬼神害之：提

倡医生要有高尚的医德，不必自矜自傲、恃技谋财。

同道务要谦和

凡遇同道①之士，切须谦和②谨慎，不可轻侮慢人。年尊者恭敬之，有学者师事之，骄傲者逊让之，不及者荐拔之。如此存心德厚，可载福矣。（《石芝医话》）

注

①同道：指同行的医生。
②谦和：谦虚、和蔼。

方案字期清楚，药期共晓，药引宜写分量

国家征赋，单曰易知①；良将用兵，法云贵速。我侪②之治病亦然。

注

①单曰易知：明清时期缴纳田赋的通知书称为"易知由单"，又称由贴。单上写明田地等级与面积、人口数目、应缴款项及起交存留等，使纳赋者一目了然。
②侪（chái）：等辈，同类的人。

　　尝见一医，方开小草，市人①不知为远志②之苗，而用甘草之细小者。

注

①市人：药铺里的人。
②远志：中药。性味苦、辛，微温。归心、肾、肺经。安神益智，祛痰，消肿。后面的甘草、常山、玉竹、乳香、天麻、人乳、鸽粪、灶心土等都是中药。

　　又有一医，方开蜀漆。市人不知为常山之苗，而令加干漆者。凡此之类，如写玉竹为萎蕤，乳香为薰陆，天麻为独摇草，人乳为蟠桃酒，鸽粪为左蟠龙，灶心土为伏龙肝者，不胜枚举①。

注

①玉竹、乳香、天麻、人乳、鸽粪、灶心土：为中药常用名。告诫医生应该用中药常用名，不必标新立异，用生僻的药名书写处方。

　　但方书原有古名，而取用宜乎通俗。若图立异①矜奇②，致人眼生不解，危急之际，保无误事？

注

①立异：标新立异。
②矜奇：夸耀争奇。

养生三要

读经典学养生

YANG
SHENG
SAN
YAO

医师箴言

又有医人工于草书者，医案人或不识，所系尚无轻重。至于药名，则药铺中人岂能尽识草书乎！孟浪者①约略撮之而贻误，小心者往返询问而羁延。愿我同人，凡书方案，字期清爽，药期共晓②。

注

①孟浪者：粗心大意的人。
②愿我同人，凡书方案，字期清爽，药期共晓：提倡医生书写处方、病案，字迹要清楚，药名要通俗易懂。

再如药引①中，生姜常写几片，灯心常写几根，竹叶、橘叶常写几瓣，葱管、荷梗常写几寸。余谓片有厚薄，根有短长，瓣有大小，寸有粗细，诸如此类，皆须以分两为准。（顾雨田②）

注

①药引：是引药归经的俗称，指某些药物能引导其他药物的药力到达病变部位或某一经脉，起"向导"的作用。此外，"药引子"还具有增强疗效、解毒、矫味、保护胃肠道等作用。
②顾雨田：顾长煊，字雨田，号西畴，一作恭寿，吴县（今江苏苏州）人。清医家。长于治温病，善用凉药。著有《顾西畴城南诊治》《顾西畴方案》，尚有《书方宜人共识说》收入《吴医汇讲》。

养生三要

读经典 学养生

YANG
SHENG
SAN
YAO

医师箴言

诊视妇女，必俟侍者在旁

凡诊视妇女，及孀妇①尼姑，必俟②侍者在旁，然后入房观看。既可杜绝自己邪念，复可明白外人嫌疑。习久成自然，品行永勿坏矣。

注

①孀妇：指丧偶的妇女。
②俟（sì）：等待。

即至诊视娼妓人家，必要存心端正，视如良家子女，不可一毫邪心儿戏，以取不正之名，久获邪淫之报。

贫病宜量力周给

凡诊视贫窘之家，及孤寡茕独，尤宜格外加意①。盖富贵者不愁无人调治，贫贱者无力延请名师，何妨我施一刻之诚心，他便得一生之活命。

注

①凡诊视贫窘之家，及孤寡茕独，尤宜格外加意：窘，穷困。茕独，孤独。对于贫穷善良的人，要格外注意关怀。不仅要好好看病，医生更要量力而行地救济钱财。

至于孝嗣[1]贤妇，因贫致病者，付药之外，量力周给。盖有药而无饮食，同归于死。务必生全，方为仁术。若游手流荡贫病者，不必怜惜。

注

[1]嗣：子孙。

当道延请，尤宜速去，病愈之后，切勿图求匦礼及关说人情

凡当道官府延请，尤宜速去诊视。盖富贵者性急而躁，何苦延缓片时，受彼怨尤[1]轻薄。至于病愈之后，切勿图求匦礼。盖受人赐者常畏人，况富贵之人，喜怒不常，求荣每多受辱。

注

[1]怨尤：怨恨。

若再说人情，图厚利，尤多变生。罪戾[1]牵涉，荡费己财。故清高之术，尤必要立清高之品也。（冯楚瞻）

注

[1]罪戾：罪过，罪恶。

养生三要

读经典 学养生

YANG
SHENG
SAN
YAO

医师箴言

医者须不陋不妄

怪症奇疾，间或有之，不可谓古书尽诬也。即寻常病症之奇幻，亦有古书所未载者。少所见而多所怪，陋矣。强不知以为知，妄矣。不陋不妄，可为名医[1]。

注

[1] 不陋不妄，可为名医：要成为既不浅陋，也不狂妄的名医，医生要善于学习各种知识，多多积累自己的临床经验。

医者须爱养自家精力

医者常须爱养自家精力，精力不足则倦[1]。倦生厌，厌生躁，厌躁相乘[2]，则审脉辨证处方，皆苟率[3]而无诚意矣。思欲救死全生，庸[4]可期乎？

注

[1] 医者常须爱养自家精力，精力不足则倦：作为医生，更要淡泊名利，心平气和，节欲保精，保持良好的精神状态更有利于治疗效果。

[2] 相乘：乘势追逐、欺凌。

[3] 苟率：苟且，轻率。

[4] 庸：疑问代词，表示反问，岂。

今之医者，鲜克^①不以奔竞^②为专务，徒劳苦而不自知，大戒也。（《重庆堂随笔》）

注

①鲜克：很少有人能。
②奔竞：奔走竞争。多指对名利的追求。

医者不可任意行乐，片时离寓

凡医者，当时以利物为念，不可任意行乐登山，携酒游玩，片时离寓^①。

注

①寓：住的地方。

倘有暴病求援，宁无负彼倒悬^①望救之思，误人性命垂危之惨。要知所司何事。谚云：闲戏无益，惟勤有功^②。（冯楚瞻）

注

①倒悬：头朝下脚向上地悬挂着，比喻苦不堪言，处境异常困苦危急。
②闲戏无益，惟勤有功：意在强调医生要明白自己肩负着治病救人的重任，不可因为贪图个人享乐而治误病人。

养生三要 读经典学养生

YANG
SHENG
SAN
YAO

医师箴言

养生三要

读经典 学养生

YANG
SHENG
SAN
YAO

医师箴言

用药宜戒杀生命

自古名贤治病，多用生命①以济危急，虽曰贱畜贵人，至于爱命，人畜一也，损彼益己，物情同患②，况于人乎！

注

①生命：这里指的是动物药。
②同患：共同厌恶。

夫杀生求生，去生更远①。吾今此方，所以不用生命为药者，良②由此也。其虻虫水蛭之属，市有先死者，则市③而用之，不在此例。（《千金》）

注

①夫杀生求生，去生更远：人与动物的关系问题，不仅关系到动物生存和延续问题，而且关系到人类社会的生存和延续问题。善待动物就是善待自己，倡导减少动物用药。
②良：确实、的确。
③市：动词，买。

俭用置产

治病与治家之理实同。凡人不惜元气，斲丧太过，则百病生焉①。轻则身体支离，重则有伤性命。

注

①凡人不惜元气，斲（zhuó）丧太过，则百病生焉：斲丧，指摧残，伤害。意在强调人要爱惜自己的元气，节欲保精，积极主动地养护身心，这正符合中医养生学"治未病"的观点。

治家凡有所蓄，必须随其大小，置买产业，以为根本。既有恒产，不但可存我之恒心，更可为子孙立恒心矣。若不固根本，而尚奢华，馈送往来，求奇好胜，银会①酒会，流荡日生，日用不节，肥甘厚奉，轻则无积，重则贫窘，口腹一身爽快，穷苦子孙受亏。

注

①银会：明代至民国时期一种集资逐利的方式。每位参加银会的人，出一份钱，然后用抽签的形式来决定由谁使用。银会可以一年一次，也可以一年两次。

况澹泊①惜禄，乃长生之术；穷奢极欲②，乃促命之基。即祖宗不归罪于我，而我宁③无

养生三要

读经典学养生

YANG
SHENG
SAN
YAO

医师箴言

惭愧以见子孙乎？故曰：广求不如俭用。何人不为远虑？直至饥寒无措，悔之已无及矣。（冯楚瞻）

注

①澹泊：淡泊，不追求名利。
②穷奢极欲：极端奢侈，尽量享受。
③宁：岂，难道。

袁昌龄先生传

读经典 学养生

养生三要

YANG
SHENG
SAN
YAO

医师箴言

　　君姓袁，讳开昌，字昌龄，广陵良医也。性端凝，寡言笑，不慕荣利，好读书，不间寒暑。尝曰：范文正公有言，不为良相，当为良医。人生不能致君泽民，无已其以医济世乎！遂潜心岐黄家言，见医书辄节用购置，或假借抄写。久之，医学日进，而通于神。邻有妇服红矾，咸谋救无术，君命服鸭血，庆更生。戚萧遐衢疽发背，势将陷，群医束手，君投以补剂，乃隆然起。复以火针刺之，匝月愈。吾郡有军官某，患秃疮，发尽落，金误为杨梅。君曰："此气虚，攻毒药不可服。"命服参、芪，发竟复生。又有胥姓妇病黄肿，医悉谓臌胀，经数医不疗。君按气脉曰："孕也，若何误攻之？"乃授以扶胃安胎药，不三月，生女一。君医之精类如此。光绪乙未夏秋间，时疫行，死者众。君制药济贫民，颇多全活。噫，君立愿为良医以济世，今医痊实繁，君真可谓良医，而亦副其济世之愿矣。生平喜阅《医宗金鉴》，谓其中正无偏，故治病悉遵古法而奏效。亦因此，君于医眼科、外科为最精，而治外症善用火针。医外精卜筮，多奇中，顾不以此名家。故居广陵，己丑春因爱吾郡江山，遂徙居焉。子阜得君卜筮术，名甚噪然，亦知医。君晚辑《医门集要》八卷，

181

养生三要
读经典学养生

YANG
SHENG
SAN
YAO

医师箴言

年五十五卒于吾郡。

《论语》曰：上医医国，中医医人。士君子不能出而医国，仅仅医人，其心亦大可衰矣。顾君之精于医，只在悉遵古法而中正无偏，遂乃生死人而肉白骨。夫医人且然，况医国乎！今者欧风东渐，喜新好异之徒，弃亘古固有之纲常，而习夷狄之邪说，其即君邻妇之服红矾也。而内患外难，纷起迭乘，又即君戚之疽发背也。顾患难既迫，而政治愈乱，更即误以治杨梅治秃疮、治臌胀者治孕妇也。而其源则在不遵古法，好奇邪而恶中正，安得君以医人者起而医国乎！而君仅以医人传，不得为良相，徒为良医也，悲夫！

丹徒后学李丙荣拜撰

跋

先君昌龄公在日，曾手辑《医门集要》八卷，于脉理、药性、内科、外科诸法，莫不纲举目张，灿然大备。此编乃《集要》之首卷也。先君课读之余，尝喟然而叹，诏阜语之曰："《集要》卷帙浩繁，谋刊匪易，汝其保存之。若首卷之卫生精义、病家须之、医师箴言，皆裒辑圣哲良规，名医粹语，一可治未病，一可治已病，一可治医病者之病，诚养生三要也。汝其善读之，他日苟有余力，或可梓行，以谂同好。古人有云：篡辑先哲格言，刊刻广布，能使化行一时，泽及后世。事业之不朽，蔑以加焉。汝其谨志之，不独此稿已也。"呜呼！阜不孝，当事生之日，未能早刊此书，以承先志。今先君弃养，忽忽十有三载，敢再因循，重滋罪戾。爰将《集要》首卷，敬谨雠校，先付手民，颜曰《养生三要》，遵遗命也。至先君品诣学行，略见于子磐、树人两先生序传中。阜不孝，未能勉效万一，读

183

养生三要

读经典学养生

YANG
SHENG
SAN
YAO

之不胜悚惶，而增愧恧焉。

戊午春三月男阜谨识

跋

养生三要